Les Éditions du Boréal
4447, rue Saint-Denis
Montréal (Québec) H2J 2L2
www.editionsboreal.qc.ca

Un café avec Marie

DU MÊME AUTEUR

Le Moineau domestique. Histoire de vivre, Guérin, 1991 ; Boréal, 2000.

France-Québec. Images et mirages, Musée de la civilisation, 1999.

L'homme descend de l'ourse, Boréal, 1998 ; coll. « Boréal compact », 2001.

Récits de Mathieu Mestokosho, chasseur innu, Boréal, 2004 (en collaboration avec Mathieu Mestokosho).

Les corneilles ne sont pas les épouses des corbeaux, Boréal, coll. « Papiers collés », 2005.

Bestiaire. Confessions animales, Éditions du Passage, 2006.

Bestiaire II. Confessions animales, Éditions du Passage, 2008.

C'était au temps des mammouths laineux, Boréal, coll. « Papiers collés », 2012 ; coll. « Boréal compact », 2013.

Objectif Nord. Le Québec au-delà du 49e, Éditions Sylvain Harvey, 2013 (en collaboration avec Jean Désy).

Les Yeux tristes de mon camion, Boréal, coll. « Papiers collés », 2016 ; coll. « Boréal compact », 2017.

L'Œuvre du Grand Lièvre filou, MultiMondes, 2018.

L'Allume-cigarette de la Chrysler noire, Boréal, coll. « Papiers collés », 2019 ; coll. « Boréal compact », 2021.

Du diesel dans les veines. La saga des camionneurs du Nord (avec Mark Fortier), Lux, 2021.

EN COLLABORATION AVEC BERNARD ARCAND

Quinze lieux communs, Boréal, coll. « Papiers collés », 1993.

De nouveaux lieux communs, Boréal, coll. « Papiers collés », 1994.

Du pâté chinois, du baseball et autres lieux communs, Boréal, coll. « Papiers collés », 1995.

De la fin du mâle, de l'emballage et autres lieux communs, Boréal, coll. « Papiers collés », 1996.

Des pompiers, de l'accent français et autres lieux communs, Boréal, coll. « Papiers collés », 1998.

Du pipi, du gaspillage et sept autres lieux communs, Boréal, coll. « Papiers collés », 2001.

Cow-boy dans l'âme. Sur la piste du western et du country, Éditions de l'Homme, 2002.

Les Meilleurs Lieux communs, peut-être, Boréal, coll. « Boréal compact », 2003.

EN COLLABORATION AVEC MARIE-CHRISTINE LÉVESQUE

Elles ont fait l'Amérique. De remarquables oubliés, tome 1, Lux, 2011.

Les Images que nous sommes. 60 ans de cinéma québécois, Éditions de l'Homme, 2013.

Ils ont couru l'Amérique. De remarquables oubliés, tome 2, Lux, 2014.

Le Peuple rieur. Hommage à mes amis innus, Lux, 2017.

Serge Bouchard

Un café avec Marie

Boréal
COLLECTION PAPIERS COLLÉS

© Les Éditions du Boréal 2021
Dépôt légal : 1ᵉʳ trimestre 2021
Bibliothèque et Archives nationales du Québec

Diffusion au Canada : Dimedia
Diffusion et distribution en Europe : Interforum

*Catalogage avant publication de Bibliothèque et Archives nationales du Québec
et de Bibliothèque et Archives Canada*

Titre : Un café avec Marie / Serge Bouchard.

Noms : Bouchard, Serge, 1947- auteur.

Collections : Collection Papiers collés.

Description : Mention de collection : Collection Papiers collés

Identifiants : Canadiana (livre imprimé) 20210040297 | Canadiana (livre numérique) 20210040300 | ISBN 9782764626597 | ISBN 9782764636596 (PDF) | ISBN 9782764646595 (EPUB)

Vedettes-matière : RVM : Québec (Province)—Mœurs et coutumes—21ᵉ siècle. | RVM : Québec (Province)—Conditions sociales—21ᵉ siècle. | RVM : Civilisation occidentale—21ᵉ siècle. | RVM : Écologie humaine. | RVM : Bouchard, Serge, 1947-—Amis et relations. | RVM : Deuil.

Classification : LCC FC2918.B684 2021 | CDD 306.09714/0905—dc23 *à François Ricard*

Un café avec Marie

Nous sommes en après-midi et, déjà, la matinée me manque. Il est loin, mon premier café, elle est loin, ma tête neuve, et où sont passées mes idées claires ? Depuis le matin, j'ai vu à la fenêtre deux beaux oiseaux, monsieur et madame Cardinal, aller et venir à la mangeoire. Ma blonde et moi les avons salués. J'ai vu six vieux érables noirs aux troncs gelés et mouillés montant la garde dans le creux de l'hiver, comme des gardiens impassibles plantés pour toujours devant un temple à jamais disparu. Le jour sera gris, il neige un peu, mais en réalité il pleut. Nous prenons ce bon café, le premier du matin, nous établissons ensemble le plan de la journée, de la semaine. Voici l'avant-midi de tous les espoirs, le saint lundi de l'énergie. Marie mange des œufs à la coque avec des mouillettes. Nous voudrions tous les deux que ce moment dure, nous voudrions abolir le futur. J'écris, elle écrit, nous écrivons. Elle me parle du castor, elle me fait lire son texte sur la maternité, l'adoption et l'amour, je lui ferai lire mon texte pour la radio, comme chaque semaine, et nous allons ainsi du coq à l'âne dans une sorte de douce danse où deux esprits complices cherchent le bon mot, la bonne phrase, le bon sujet.

Mais à l'heure qu'il est, la noirceur montre déjà le bout de son nez, la chute du jour s'annonce tout doucement. L'horloge ne ment pas : il était neuf heures ce matin, les aiguilles montrent maintenant cinq heures du soir. La fatigue est revenue, tout devient sombre, car nul n'empêche le futur de broyer le présent pour nourrir le passé. Ce passage fait un petit bruit, le tic-tac du temps, le coup de l'horloge. Ce coup est en vérité un coup de poing, nous sentons d'instinct que la situation nous échappe, que ce moment béni, cet état de grâce, cette matinée parfaite, s'en sont allés dans un passé que nul n'a jamais rattrapé. Le présent de demain ne sera pas le présent d'hier. Le soir efface tout. La nuit est propice aux plus froides angoisses, dans le noir on voit si bien le futur qu'il nous arrive de voir notre passé. On passe et repasse la bobine, on rumine. Ce cinéma nocturne est généralement mauvais pour la santé.

À l'aube, il faut remonter le décor, refaire la mise en scène, redémarrer la machine à café, prendre une longue douche, s'arranger devant le miroir pour faire bonne figure, consacrer le temps qu'il faut à se mettre dans la peau de soi-même. Voilà l'entrée en scène des acteurs, des comédiens qui ne savent pas leurs répliques, mais qui devront les inventer pour créer une matinée heureuse, une parenthèse, un moment. Plus rien n'existe que cet instant, que cette scène où nous discutons, Marie et moi, en buvant notre tasse de café. Mais le meilleur, c'est quand elle ne dit mot, quand je garde moi-même le silence, et que nous nous entendons penser, elle dans ma tête et moi dans la sienne.

Inutile de lutter contre la fugacité et l'éphémère, dirait le sage. La belle vie n'est rien d'autre que ce café pris avec Marie, une suite de matinées, une heure, une seconde, le sourire de ma fille qui s'en va au collège, ma petite-fille qui m'annonce sa visite, cet instant où tu sais que tu es au bon endroit, au bon moment, avec les bonnes personnes. Ces matins auront été autant de beaux présents au cours d'une vie qui ne fait pas de cadeaux. Le sage dirait encore : la vie dure le temps d'une étincelle qui s'envole au-dessus des braises et des flammes. Dans le langage de l'éternité et du point de vue de l'infini, le mot *longévité* n'existe pas. Nous savons tous qu'un jour ou l'autre le rideau tombera. Mais en attendant, répétons. Chaque matin nouveau est encore plus précieux que celui d'hier, appelons cela, avec Romain Gary, « la promesse de l'aube ».

L'efface du temps

Trouble de mémoire

Dans la galerie des grandes frayeurs modernes, la peur d'oublier tient une grande place. Le mot *Alzheimer* est devenu aussi terrifiant que le mot *cancer*. Au-delà d'un certain âge, il suffit d'oublier son chapeau sur une table ou ses clés sur le contact pour qu'autour de vous on crie au loup de la sénilité précoce. Nous valorisons la mémoire dans nos vies personnelles et nous l'associons volontiers à l'intelligence, sinon à cette valeur suprême, la jeunesse. Plusieurs voudront muscler leur cerveau en faisant des exercices de mémoire. La perte de la mémoire est vue comme une maladie grave. Or comment se fait-il que, dans un monde où la mémoire individuelle prend une si grande importance, la mémoire collective, elle, soit en si grande perte de vitesse ? Pourquoi s'intéresser au passé quand le passé n'a aucune valeur dans l'architecture de la société contemporaine ? Le seul fait de se demander à quoi sert l'histoire pose déjà le problème de l'instrumentalisation du discours. Car, est-il nécessaire de le rappeler, la mémoire est un discours.

Dans les sociétés anciennes, il y avait peu de supports externes pour entreposer la mémoire collective. Pas de documents, pas d'archives, pas de photos. L'instrument de la mémoire, c'était l'oralité, c'est-à-dire la récitation incantatoire des généalogies, des mythes, des histoires et des légendes propres à une société, cultivés par elle, transmis et retransmis à travers les générations. Curieusement, l'Occident a tôt fait de disqualifier ces contes et autres balivernes à la face même de l'histoire. Il a qualifié ce monde de « préhistorique » et a fait équivaloir la notion de mythe à de la pure fausseté. Sans document point de salut, car on sait bien que les écrits restent et que les paroles s'envolent. L'histoire commence avec l'écrit. L'histoire est donc un domaine d'enquête où il faut fournir des preuves écrites de ce que l'on avance. L'historien prétend à l'objectivité et il entend que son discours soit apprécié parce que vrai. Il se range du côté de la science. Le mythe et ses dérivés, le conte et la légende, n'ont pas cette prétention. Ils ne s'inscrivent pas dans la ligne du temps, ils tracent plutôt le cercle de l'éternel retour. Le discours mythique est un exercice intellectuel, il invite à penser le monde, mais plus encore, il cherche à donner une explication poétique à ce monde. Souviens-toi, mon ami, que nos ancêtres ont vécu avec les ours, souviens-toi que nous descendons de l'ours, que nous en avons la mémoire et la mentalité.

D'ailleurs, si les écrits restent, ils n'ont pas toujours la valeur qu'on leur accorde. Car les documents se falsifient, les mensonges s'écrivent, les menteurs témoignent. L'objectivité en histoire est très souvent un mythe. On peut y tendre de bonne foi, s'en approcher parfois, mais la plupart du temps, cette objectivité cache une intention. Les histoires nationales, on le sait, sont des vues de l'esprit national. La mémoire collective est sélective. L'histoire du royaliste n'est pas l'histoire du républicain. Les Russes se sont toujours demandé s'ils étaient d'origine norroise ou slave. La question est immense et elle porte sur les préférences culturelles. Une version entière de l'histoire russe célèbre les origines varègues, c'est-à-dire scandinaves et vikings, de ces hommes roux, les Rus. Une autre version glorifie les origines slaves, liées aux steppes orientales. Nordiques, slaves, mongols, les Russes sont mêlés dans leur sang et mélangés dans leurs histoires.

La mémoire collective est rusée : elle cherche autant à omettre, à oblitérer, qu'à se souvenir. Il en va des histoires des nations et des peuples comme de nos histoires de vie, et nos discours prennent plusieurs formes : l'épopée, la saga, la justification, la mauvaise foi. Nous avons autant le sens de l'embellie que celui de l'oubli. Nous maîtrisons l'art de nous mentir à nous-mêmes. Il serait fort difficile de faire admettre aux Américains que ce sont les Canadiens français qui les ont guidés vers le grand Ouest, en 1804, lors de l'expédition Lewis-Clark. Il serait tout aussi difficile de faire admettre aux Canadiens français que ces francophones qui ont guidé les Américains étaient des ensauvagés et des Métis, des passeurs culturels, plus animistes que catholiques, des coureurs d'espace qui arpentèrent l'Amérique sans jamais écrire leur propre histoire.

Nos plus grandes histoires sont d'immenses trous de mémoire.

De quoi se souvient
une poussière d'étoile ?

C'est la ligne du temps qui ordonne nos souvenirs, même ceux que nous n'avons jamais eus. Car l'imagination augmente infiniment le champ de la mémoire. En tant que poussière d'étoile, je revendique le souvenir du big bang. C'est vague, j'en conviens, mais je m'en souviens. Puis, des centaines de millions d'années après ce grand coup, un flash, le jaillissement de la lumière, et de cette illumination je me souviens clairement. Un gros bruit, une vague, puis la lumière, voilà bien la séquence que retient ma mémoire. Je me souviens d'avoir été un gaz, d'avoir connu une chaleur intense, à vous fendre un électron en quatre, une chaleur inimaginable, que j'imagine pourtant. Au terme de ce premier temps, on entendit un crépitement. L'Univers commença à se refroidir et de grands nuages devinrent des pouponnières d'étoiles. Oui, des milliards d'étoiles vinrent au monde, s'éloignant dans le vide à une vitesse folle. Dix milliards d'années s'écoulèrent avant la naissance du Soleil, une des centaines d'étoiles enfantées par le nuage d'une supernova depuis longtemps disparue. Cette naissance brutale eut lieu il y a 4,5 milliards d'années. Autour des étoiles, des quantités incalculables de matière solide tournaient et tournaient, se collisionnant, s'amalgamant, prenant la forme de billes à force de tourner ; ce fut la naissance des planètes.

Voilà donc la Terre, un immense champ de lave, bombardé par des météorites. C'était au temps des grands volcans. Puis tout cela se refroidit, créant un nuage effrayant, une fabrique à eau. Lorsque ce nuage creva, une pluie se mit à tomber pendant des milliers d'années, donnant naissance aux océans. De la lumière et de l'eau, creuset de la vie. Nous sommes des cellules et nos cellules sont constituées de la matière originale de l'Univers.

De quoi se souvient une poussière d'étoile ? Elle se souvient des unicellulaires dans l'océan, de l'évolution des formes de la vie, des poissons primitifs, des amphibiens. Évolution, évolution, on finira bien par apercevoir un brontosaure, il y a deux cents millions d'années. Et puis, on se souvient de ce jour fatidique, un vendredi soir peut-être, où une météorite géante a percuté la Terre, au Yucatan, causant la mort de tous les dinosaures, sauf ceux de *Jurassic Park*. C'était il y a soixante-cinq millions d'années. Grosse nouvelle, en vérité. Mais le temps ne s'est pas arrêté pour autant. Les mammifères profitèrent du vide laissé par les grands et petits sauriens. Ce fut l'âge d'or des loups, des chevaux, des lions, des castors et des marmottes.

Il y a deux millions d'années, l'espèce *Homo* apparaît en Afrique. Puis, il y a soixante-dix mille ans, *Homo sapiens* fait ses premiers pas, toujours en Afrique. *Sapiens* est doté de mémoire, c'est une fabrique à souvenirs. Il voit le soleil, il voit la lune et la terre ; à travers lui finalement, la matière réfléchit sur elle-même, elle se dématérialise, elle devient de la pensée et de la mémoire. Pendant presque soixante mille ans, *Sapiens* marche et marche, il fait le tour de la planète. Je me souviens de la chasse, des horizons, des étonnements et des découvertes. Il y a dix mille ans, c'est le début de l'horticulture, des villages, des greniers, du commerce, des chiffres, de l'écriture.

Puis le fil se bouscule : la Mésopotamie, l'Égypte, les

empires africains, la Grèce, Rome, le grand empire de Chine, les Gallo-Romains, l'empire des Incas, celui des Aztèques, la Renaissance. Il y a des bibliothèques, les Lumières, des inventions techniques, la vapeur, l'industrie, le XIXe siècle. Je me souviens des nouveautés du XXe siècle, l'électricité, puis l'avion, la Première Guerre mondiale, le téléphone, l'automobile, la radio, la télévision, la Deuxième Guerre mondiale et, en 1947, un gros flash : me voilà au monde. Une conscience s'allume, une autre, mais aucune ne dure, aucune n'a jamais duré. Et je me dis : des milliards d'années sans que je sois. Et autant où je ne serai pas. Entre les deux, un passage éclair. C'est à n'y rien comprendre.

Nous ne sommes pas grand-chose, disaient nos grands-mères. Isapo-Muxica, le chef siksikawa, dit au moment de mourir : « La vie est comme la fumée de l'haleine du bison par un matin froid de novembre, une petite fumée qui ne dure qu'un instant et qui va se perdre dans un brouillard plus grand. » Ne sommes-nous qu'une matière qui, à travers chacun de nous, essaie de se révéler, sans jamais y parvenir ?

L'efface du temps

L'auteur sud-américain Eduardo Galeano, dans son livre intitulé *Les Voix du temps*, nous rapporte ce fait curieux : deux humains archaïques, un homme et une femme, marchaient un jour dans une vallée africaine, il y a de cela un million d'années. Ils ont laissé dans le sol la trace de leurs pas, des traces qui par miracle se sont fossilisées. Les pas sont parallèles, sauf sur une partie du sentier où la femme s'éloigne vers la gauche, comme pour aller ailleurs, le temps de cent mètres. S'est-elle écartée pour bouder son compagnon ? Voulait-elle cueillir un fruit ? Craignait-elle un danger, un prédateur, un ennemi sur le chemin devant eux ? Qu'est-il advenu de cet homme et de cette femme ? Ont-ils cheminé longtemps ensemble, étaient-ils frère et sœur, mari et femme, allaient-ils rejoindre leur communauté ou fuyaient-ils leur pays ? Les images que ces pas dans la glaise nous renvoient sont trop floues pour que nous puissions vraiment savoir le fond de l'histoire ; et, en vérité, on ne le saura jamais. Le reflet est trop pâle, les indices trop minces. Cependant, ce couple anonyme, qui a vécu il y a si longtemps, a quand même eu la chance inouïe de laisser l'empreinte de ses pas dans une croûte conservée jusqu'à aujourd'hui. Des milliards d'humains n'ont pas eu cette veine, ils sont passés sans laisser de trace. S'ils se regardaient dans un miroir, ils ne se rappelleraient même plus à quoi ils ressemblaient de leur vivant ni ce qui les faisait courir et marcher. Le temps est une immense efface. Ces ombres sont pareilles à un rayonnement fossile. Imaginez un miroir qui reflète des images d'un passé très lointain, comme le télescope Hubble. Cet œil magique regarde le cosmos et nous révèle la présence d'étoiles mortes depuis des millions d'années. S'il existait un miroir semblable pour plonger dans notre propre passé, un œil archéologique et paléontologique capable de reproduire des scènes et des visages depuis longtemps disparus, nous verrions s'agiter la surface des miroirs noirs dans lesquels se mirent des âmes mortes. Ainsi ces deux amoureux de Pompéi, immortalisés dans la lave refroidie, tués par des cendres brûlantes alors qu'ils s'enlaçaient pour mieux mourir ensemble, dernier geste d'une longue histoire, intense comme celle de tous les humains. Autre reflet : cet homme préhistorique enterré sous une dalle de pierre grossièrement taillée, recroquevillé en position fœtale, avec le squelette d'un ours à ses côtés. Culte de l'ours ? Amitié ? C'était un tueur d'ours, qui a été tué par l'ours ? La porte s'ouvre à tout ce que l'on voudra bien dire à propos des humains, à propos des ours. Cette tombe donne à réfléchir.

Cette guerrière viking, inhumée avec son épée, sa hache, son arc et ses flèches, a vécu une vie forcément intense, tendue, dangereuse, une vie dont il ne nous reste que cette image fixe, un bouclier, des os, le miroir d'outre-tombe qui rappelle sa mémoire. Heureuse, malheureuse, bonne ou méchante, naviguant sur les mers du Nord dans des drakkars fragiles, marchant dans les forêts de conifères, se reposant sous les grandes halles scandinaves, elle aura vécu l'aventure de sa vie, de sa seule vie, dans la furie des combats et des rapines, dans un milieu dont il ne reste quasiment rien. Avec le temps, la surface du miroir s'émousse, s'assèche, craquelle, se parsème de points noirs, et l'âme se fait du mouron, sachant combien elle est attirée par le trou noir de l'oubli total.

Comment ne pas nous voir nous-mêmes, un homme, une femme, dans ce couple archaïque qui a marché un jour au fond d'une vallée africaine ? Ces amoureux pétrifiés de Pompéi, qui sont-ils, sinon un reflet de nous encore, de notre étreinte de maintenant contre la voix du temps ?

Prions pour que notre baiser s'éternise, se fossilise et déjoue l'efface de la grande durée.

La photo de mariage

Le peintre américain Edward Hopper a toujours fasciné le public par ses œuvres qui semblent immobiliser le flux du temps. *Nighthawks* et *Cape Cod Morning* sont parmi ses plus célèbres. L'ensemble de son œuvre est une référence forte pour certains cinéastes. C'est que chacun de ses tableaux suggère une histoire. Le réalisateur Wim Wenders a fait un court-métrage intitulé *Deux ou trois choses que je sais d'Edward Hopper*. Wenders est fasciné par l'histoire que peut suggérer l'image unique qui apparaît à la surface d'un tableau. Dans son film, il s'est appliqué à mettre en mouvement les scènes représentées par le peintre. Voilà que les personnages deviennent des acteurs qui bougent dans les décors typiques de Hopper, et que nous découvrons la suite du moment qu'il a fixé sur la toile. Dans *Nighthawks*, on voit un *delicatessen* la nuit, où deux hommes et une femme sont attablés sous la lumière du *diner*. On ne sait rien, mais on devine qu'il y a eu un avant et qu'il y aura un après. Quels rêves, quelles routes parcourues, quelles brisures ? Tout le tableau le dit sans le dire. Même chose pour la femme à la fenêtre dans *Cape Cod Morning*. On suppose une histoire, on devine qu'il va se passer des choses… un drame peut-être. L'art d'isoler le moment présent à même le flux du temps, tout en racontant une histoire, est un art difficile. Que ce soit une peinture, une photo, une scène de film, il faut toujours se demander ce que sera la suite et ce qu'a pu être l'avant. Cela pourra aller dans un sens ou dans l'autre. Sur la pointe de ce qui a été et de ce qui sera, le présent est un équilibre précaire qui nous fait basculer dans l'inconnu à chaque fraction de seconde. C'est le génie d'une image que de nous suggérer toutes les autres et, surtout, toutes les autres *possibles*. Voilà la durée de Bergson dans toute sa splendeur. Le génie de Hopper repose sur sa capacité de reproduire tout ensemble la profondeur et la fugacité de chaque moment.

Lorsque je regarde la photo de mariage de mes parents, sur le parvis d'une église de Montréal, au début du mois d'août de l'année 1939, je vois un groupe de personnes endimanchées, ma mère qui tient un bouquet de fleurs, et tous, disciplinés par le photographe, regardent fixement la lentille de la caméra. Cela s'appelle une « photographie de mariage », comme on les faisait dans le temps. Juste à regarder ces vieilles photos, on se met à rêver. Que faisait mon père, trente minutes avant de prendre la pose ? Qu'a-t-il fait la seconde après le cliché ? Quelle est cette église, ces pierres grises, cette façade ? Que sont devenues toutes ces personnes, un groupe de cinquante ? Cette pensée vaut pour toutes les photos du monde. Ce sont des instantanés, captations miraculeuses qui figent pour toujours une fraction de seconde dans l'écoulement d'une existence.

Le film documentaire fait la même impression : il entretient avec le temps un lien magique. Voyez Paris en 1890, voyez l'animation, les gens. Voyez New York en 1906. Regardez ces calèches, ces chevaux, ces piétons qui s'arrêtent pour regarder la caméra. Que reste-t-il de l'ensemble de ces scènes ? Tous les gens sont morts, les chevaux aussi, qui apparaissent dans ces films. Que reste-t-il de ces instants depuis longtemps passés ? Il reste des édifices comme le Flatiron à New York, des places comme celle de la Concorde à Paris. Il reste des images prégnantes d'une multitude de présents possibles. Lorsque l'imaginaire surgit, la moindre image embrouillée parle plus qu'une pie en folie.

Adélard Bouchard

Je me souviens de mon grand-père paternel, Adélard, qui a travaillé aux chantiers, dans les camps de bûcherons, grand connaisseur des chevaux de trait, ces chevaux martyrs qui charriaient des charges deux fois trop lourdes, des billots et des billots, qui gelaient la nuit dans les enclos, mal nourris, mordus par les loups, chevaux malheureux que l'on achevait quand ils n'avaient plus la force de tirer, pour faire de la viande afin de nourrir les bûcherons. Je me souviens de ces bûcherons mal vêtus, mal logés, entassés dans des dortoirs malsains, exposés au froid et aux engelures, en train de battre de la hache, de s'essouffler à la sciotte avec des mains mouillées, hâlant, soulevant, équarrissant une branche après l'autre, et quelqu'un se souvient-il du nombre de branches à équarrir dans une épinette moyenne ? Quelqu'un se souvient-il encore de la neige qui te tombe dans le cou quand tu frappes le tronc d'un arbre qui dort dur, figé comme de la glace ? Je me souviens de la brutalité des hommes, de la camaraderie aussi, de la malice du contremaître, de l'esseulement dans le lointain, de la beauté de la Voie lactée, de la panique des arbres, de l'odeur du bois. Je me souviens de ce visage de femme, dans la tête de cet homme, une fiancée, une épouse, un amour impossible, une fille du village, aperçue un beau dimanche à l'église ou au magasin, réminiscence de chaleur, de tendresse et de tranquillité. Adélard a connu les forêts du Maine, les grandes forêts de l'intérieur de la Gaspésie, il a connu les voyagements, les isolements, les Malécites, les femmes de la Nouvelle-Angleterre. Il était fils de Nicolas, cultivateur de la paroisse du Bic, de la lignée des Nicolas Bouchard, remontant à celui qui était venu de Paris, du vieux Paris des vieilles pierres et des anciens murets de la paroisse Saint-Séverin. De celui-là, le Parisien, de qui descendent les Bouchard du Bas-du-Fleuve, les meilleurs, nous ne savons rien. Il n'était qu'un pauvre sans-grade, un simple soldat enrôlé pour combattre l'Anglais à l'aube de la guerre de Sept Ans. A-t-il tué des hommes ? S'est-il caché derrière une butte ? A-t-il fait le mort ? Nous ne le saurons jamais. Les gens de ce temps-là n'écrivaient guère leurs exploits ou leurs lâchetés. Ils devaient mentir franchement, comme tous les Bouchard du monde, mais leurs mensonges sont eux aussi tombés dans l'armoire aux oubliettes.

Adélard fut photographié une ou deux fois. Il n'était pas grand, mais il était costaud. Sur la photo jaunie, il a l'air « haguissable », certainement rebelle, solitaire, misanthrope. Nul ne sait trop quelle jeunesse a vécue ce fils de cultivateur. Son père descendait du soldat parisien venu au Canada en 1749. Tous ceux qui l'avaient précédé avaient été des cultivateurs dans des fermes entre Rivière-Ouelle, le Bic et Rimouski. Où sont leurs terres, je ne le sais pas. Étaient-ils pauvres, étaient-ils prospères ? Je ne le sais pas. Reste-t-il dans un musée un poteau de clôture d'une ferme Bouchard, un artéfact, un bouton de culotte, une semelle de botte, un vieux râteau de cette époque ? Pourquoi Adélard a-t-il abandonné la tradition agricole pour se faire palefrenier, « homme de cheval », bûcheron ? Pourquoi, en 1919, a-t-il quitté Rimouski avec femme et enfants pour venir s'établir à Montréal ? Pensait-il améliorer son sort en gagnant la ville, lui, l'homme des forêts profondes, du grand fleuve et de la nature ? Mon père, l'un des six fils d'Adélard, ne nous a jamais dit un mot à propos de sa famille. Sa mère était métisse malécite, elle ne parlait guère, elle avait la carrure d'un lutteur de la WWA. Adélard était un homme bon et triste, il avait pour amie la bouteille. Il est mort durant la nuit, ivre peut-être, gardien d'un clos de bois de la rue Saint-Laurent. Ça sentait la résine et l'épinette, il gardait du bois, comme il en avait tant charrié, tant bûché.

Elle est effrayante, la grosseur de notre armoire aux oubliettes. Les gens sans importance pensent vraiment qu'ils sont sans importance. Ils ont même vendu la grande armoire, devenue une antiquité, aux touristes américains pour une poignée de sous noirs.

Le chandail numéro 14
des Canadiens de Montréal

Claude Provost était un personnage unique. Il avait un visage à nul autre pareil, une gueule vraiment étonnante, remarquable, le menton des Dalton, les cheveux de mon mécanicien, le visage d'un vendeur de patates frites, l'allure d'un *waiter* de taverne, le style de mon voisin qui travaillait chez Molson, *helper* sur un *truck* de livraison. Un visage unique, je vous dis, propre à jouer au cinéma des rôles à faire peur, la face de la misère et de l'effort, le travaillant, le boxeur magané, le Rocky d'avant le premier *Rocky*.

Il a été mon idole de jeunesse, mon joueur du Canadien à moi, le numéro 14 des Canadiens de Montréal. Dire « Claude Provost », c'est évoquer toutes mes années heureuses, le Forum, les cartes de hockey, les éliminatoires contre Detroit, et la troisième ligne du Canadien, Goyette-Provost-Pronovost, la ligne des plombiers qui jouaient dans l'ombre des grandes vedettes. Le monde n'était pas très compliqué en ces temps-là. Le Canadien remportait des coupes Stanley, les autres équipes tenaient le rôle de figurants dans un tournoi que nous gagnions presque toutes les saisons. On n'essayait pas de « faire les séries », on gagnait la coupe, un point c'est tout. L'équipe des Maple Leafs de Toronto, la pauvre, jouait contre le Canadien le cœur résigné, la tête basse, Boston savait qu'il allait perdre à tous les coups, tous se présentaient au Forum comme on arrive à l'abattoir.

Claude Provost a joué plus de mille matchs dans la Ligue nationale, tous dans l'uniforme des Canadiens de Montréal. Il portait aux doigts neuf bagues de la coupe Stanley. Il a inventé le rôle du joueur défensif qui savait quand même compter des buts. Une année, il en a compté trente-trois. Il partage encore aujourd'hui le record du but marqué le plus rapidement de l'histoire de la ligue : contre Boston, quatre secondes après le début de la partie. Il était le couvreur attitré des meilleurs ailiers gauches des équipes adverses. À ce titre, il fut « l'ombre de Bobby Hull », le redoutable joueur des Blackhawks de Chicago. Provost était robuste, acharné, c'était hors glace un homme apprécié de tous, grand joueur de bridge. Il a gagné le premier trophée Masterton décerné au joueur le plus gentil de la ligue. On le surnommait « Jo », son coup de patin était unique. Il avait les jambes arquées, ce qui nous donnait l'impression qu'il courait sur la glace. Il a pris sa retraite en 1970, en même temps que Jean Béliveau, au terme de sa quinzième saison. Et lui qui aimait tant la vie et les gens, ce bon « Jo » accueillant qui tenait un club de conditionnement physique au centre Paul-Sauvé, qui jouait avec les Anciens Canadiens et qui tenait la forme, est mort jeune, à cinquante et un ans, foudroyé par une crise cardiaque.

Puis ce fut l'oubli, l'oubli irrespectueux qui nous attriste au bout du compte. Comment peut-on refuser l'entrée au Temple de la renommée à un joueur nommé Courage, qui a gagné neuf coupes Stanley ? Son *fair-play*, l'invention du rôle de joueur défensif, sa régularité et sa carrière à nulle autre pareille lui auraient bien valu le retrait de son numéro 14, mais cela, personne ne l'a vraiment envisagé. Un homme simple, si simple. Pouvons-nous imaginer un joueur du Canadien d'aujourd'hui qui habiterait au coin du boulevard de l'Assomption et de la rue Beaubien, dans l'est de Montréal, voisin de son copain défenseur des Canadiens, Jean-Guy Talbot ? Un homme si simple qu'il était un candidat idéal à l'oubli. Qui se souvient des vrais guerriers comme lui, de la bataille des tranchées ? On a retenu l'élégance et l'intelligence d'un Béliveau, la flamboyance et le magnétisme d'un Geoffrion, le génie de Jacques Plante et l'inégalable Henri Richard, mais on a oublié la sueur du travailleur, le jour après jour de celui qui courait sur la glace, qui enrageait les Bobby Hull et les Ted Lindsay de ce monde, le Jo de ses coéquipiers, le petit gars de Lachine, dont le nom apparaît neuf fois sur la coupe Stanley.

Son visage inoubliable devrait se retrouver en trois dimensions au plafond du centre Bell. C'est lui, le vrai fantôme du Forum, la gueule du sacrifice, la gueule du gagnant. Je ne sais pas combien de buts a comptés monsieur Graham Bell. Aucun, à mon souvenir. Je propose donc, en toute justice et en sacrifiant la commandite, que le centre Bell soit renommé aréna Claude-Provost, pour l'honneur des simples travailleurs au panthéon des champions oubliés.

La rue du Merle-Mort

Récemment, à New York, une pétition populaire qui a atteint rapidement le chiffre de trois cent mille signatures demandait à la Ville de rebaptiser une petite portion de la Fifth Avenue « President Barack Obama Avenue ». Si la Ville de New York agréait à la demande, la fameuse Trump Tower porterait l'adresse suivante : 725 President Barack Obama Avenue ! C'est là qu'on voit le pouvoir d'un toponyme. C'est en raison de ce pouvoir d'évocation et de réminiscence qu'un nom de lieu doit faire l'objet d'une grande attention. Si on nomme les choses à la sauvette, sans trop réfléchir, on risque de passer à côté de la valeur de l'évocation, de la beauté des mots et de la poésie du monde.

En ce sens, la culture populaire l'emportera toujours sur l'autopromotion de la petite politique. Pour une raison ou pour une autre, je préfère la beauté du nom de « Côte-des-Neiges » à l'insipide « boulevard Marcel-Laurin ». Je préfère le magnifique « boulevard de l'Acadie » à l'insignifiant nom de « Sherbrooke ». Qu'a fait Sherbrooke pour mériter une si grande place dans la toponymie ? Rien. Il n'a fait que passer, obscur gouverneur général parmi les obscurs gouverneurs généraux du Canada. Et pourtant, quelqu'un, dans un contexte particulier, a décidé que la plus grande rue de Montréal s'appellerait « Sherbrooke », qu'une ville importante des Cantons-de-l'Est se nommerait « Sherbrooke ». Cela s'appelle une « faute toponymique ». Pour-quoi n'avons-nous pas plus de noms issus des pratiques du monde normal : la montée de Madame-Brochu, la rue des Demoiselles-Poirier, la rue du Diable-en-Fuite, le parc de l'Ours-Bleu, le tunnel Qui-Mène-au-Train, le pont des Petits-Chars, la rue de l'Impasse-du-Guenillou, etc. ? À cause de la fatigue fonctionnaire et de l'indifférence civique, on assiste aux pires dérives. Des quartiers entiers dont les noms de rues sont des oiseaux. D'autres, des noms d'arbres. Plutôt que la rue du Hêtre, pourquoi pas la rue du Hêtre-Malheureux ? De l'Érable-Rouillé ? De l'Orme-Penché ? La rue du Merle-Mort, celle du Pinson-Qui-Chante-Faux, de la Mésange-Triste, et ainsi de suite ? On peut écrire le monde à l'infini.

Non, nous vivons plutôt dans un univers de « pont Pierre-Laporte », d'« autoroute Jean-Lesage », de « boule-vard Gouin », de « Mont-Laurier », de « boulevard Tasche-reau », de « boulevard Robert-Bourassa ». Après avoir uti-lisé les noms de tous les saints, voilà qu'on épuise le catalogue des politiciens. Tant qu'à nommer ainsi, je préfère les simples numéros de routes : la 1re Avenue, la 3e Rue, la 20, la 40, la 138, la 117. Même ces chiffres ont un plus grand pouvoir d'évocation qu'un nom de maire, de ministre ou de premier ministre, dont tout le monde a oublié le visage et la raison après une génération. Tous les noms de politiciens ne se valent pas. Il faut gagner sa rue, son pont, son monu-ment. Débaptiserions-nous la ville de New York pour l'ap-peler « Trump City » sous le coup d'un enthousiasme spon-tané ? La chose est inimaginable, mais nous l'avons fait souvent. Lord Simcoe, un autre gouverneur général de génie, a jadis jugé que le nom de la ville de Toronto était trop iroquois à son goût ; il l'a fait changer pour le très britan-nique nom de « York ». Heureusement, cela n'a pas duré. Un toponyme raconte une histoire, il décrit un lieu, il nous interpelle. À Montréal, Jeanne Mance a une rue courte, trop courte pour évoquer l'histoire de la fondatrice de la ville. Elle mériterait amplement de détrôner Sherbrooke dans la mémoire nationale. Le toponyme est politique, historique et poétique. La rue Pie-IX nous rappelle le malheureux intégrisme religieux et catholique, l'hystérie bouleversante des toponymistes chrétiens. Quelle est l'histoire de ce pape et que vient-il faire dans l'est de la ville ? Pourquoi lui et pas une femme, disons le « boulevard Irma-Levasseur » ? Pourquoi si peu de noms autochtones, par exemple un « boulevard des Premières-Nations » ? Les toponymes sont des livres malheureusement écrits dans des temps peu glorieux pour ce qui est de la justice et de la beauté. À nous de réécrire ce livre. Le beau nom de « Chicoutimi » ne serait jamais disparu de la carte si nous avions eu du cœur, du goût et de la mémoire.

Écrivez-moi au 10, rue des Craquias, autrefois rue de l'Herbe-à-Puce, c'est dans le coin du tunnel du Bandit-Morel. Je vous répondrai, c'est promis.

Honoré Beaugrand

Lorsque vous tapez le nom d'Honoré Beaugrand dans Google, c'est la carte du métro de Montréal qui apparaît à l'écran. Nous sommes plus dans les transports collectifs que dans la mémoire collective. Bien sûr, au fil de la construction du réseau, les comités qui ont nommé les stations du métro de Montréal n'ont pas été particulièrement inspirés. Ils ont simplement suivi le nom des rues. Or, ceux qui ont baptisé les rues n'étaient pas davantage inspirés, ni par le poids historique des références, ni par la beauté de l'Histoire, ni même par la beauté des noms eux-mêmes. La ligne verte du métro de Montréal comporte vingt-sept stations. Dans les confins du système, dernier arrêt perdu dans l'est de la ville, on trouve la station Honoré-Beaugrand, qui signifie « là où les trains virent de bord ». À l'autre bout, dans le centre-sud de la ville, il en est une qui s'appelle Lionel-Groulx. Elles sont assez éloignées l'une de l'autre pour que les deux hommes puissent dormir tranquilles. Car il ne saurait y avoir un plus grand écart entre deux personnages historiques : Beaugrand le libre penseur, l'anticlérical, le globe-trotter, l'ultramoderne ; Groulx l'ultracatholique, le conservateur, le passéiste, l'enraciné.

Lionel Groulx (1878-1967) représente à lui seul tout le repli de la mémoire catholique qui a tant coloré notre histoire nationale. Dans ses vues comme dans ses vœux les plus pieux, nous sommes un peuple élu de Dieu, une race d'agriculteurs dociles, les purs descendants des meilleures souches normandes, de racines plus que françaises, heureux sous la soutane des curés, un troupeau de paroissiens communiants, de villageois confessés, une race bénie qui n'évolue pas avec le temps, mais qui reste à l'écart des bruits et des passions du monde. Le chanoine avait une peur bleue de l'Amérique et des Américains. Colons, habitants, anti-américains, nous nageons dans la soupe de Claude-Henri Grignon, dans les séraphinades de toutes les versions, censurées ou pas.

Honoré Beaugrand (1848-1906) était plus vieux que Lionel Groulx, mais très loin à l'avant-garde du chanoine. Difficile d'imaginer qu'un tel homme ait pu exister dans le Canada français traditionnel, mais sa vie nous montre bien que le passé de notre société ne tient pas seulement à ce que Lionel Groulx racontait. Beaugrand était un homme moderne dans le sens profond du terme. Écrivain, chroniqueur, journaliste, il était reconnu pour ses idées libérales. À dix-sept ans seulement, il partit à l'aventure à travers le monde ; il s'enrôla comme soldat dans l'armée française et fit campagne au Mexique. Jusqu'à trente ans, il vécut en Europe et en Nouvelle-Angleterre. De retour au Canada vers 1878, il s'impliqua en politique comme chroniqueur. Il avait la manie de fonder des journaux. Parmi toutes ses entreprises, une au moins le rendit très riche : le grand succès commercial du journal *La Patrie*. Dans les années 1880, Beaugrand fut deux fois maire de Montréal.

Indépendant de fortune mais de santé fragile, celui qui est également l'auteur des contes de *La Chasse-galerie* passa les dernières années de sa vie à voyager et à écrire. Je viens justement de lire quelques chapitres de son livre *Six mois dans les montagnes Rocheuses*, publié en 1890 chez Granger. Honoré Beaugrand admirait les Américains, il adorait

Chicago, et le progrès en général. Dans ce livre, il explique comment, parti de Montréal en train, il était arrivé trois jours plus tard à Denver, sans jamais changer de wagon. C'était la grande époque. Il arpenta ensuite les Rocheuses à cheval et en diligence. Selon lui, il fallait aller aux États-Unis pour retrouver le plus beau visage de notre histoire, celui de nos explorateurs, de nos aventuriers, de nos voyageurs canadiens-français qui avaient guidé les Américains dans l'Ouest, parcouru les Rocheuses avant eux et laissé partout leurs marques. Mais ce n'est pas tout. Honoré Beaugrand, que nous n'honorons pas assez, fut le premier propriétaire et directeur de journal à embaucher une femme chroniqueur à temps plein : Robertine Barry.

La simple histoire de sa vie, comme celle de la vie de Robertine Barry, d'ailleurs, ferait une série télévisée du tonnerre. Mais pour ce faire, il faudrait avoir l'audace de ne plus voir notre passé en noir et blanc et nous sortir des griffes des Groulx et Grignon de ce monde.

Brun et beige

Dans les anciens autobus, les brun et beige de ma jeunesse, les chauffeurs poinçonnaient de petits papiers rectangulaires que nous appelions des « transferts ». Ces petits papiers étaient, comme les autobus, brun et beige, on y retrouvait, imprimés en gros, le numéro du circuit, disons la ligne 4, le nom de la rue, Sherbrooke, le terminus d'arrivée, la station Pie-IX, le point de départ, rue Claremont dans Westmount, ou vice-versa, selon nos origines, soit l'est de la ville, soit l'ouest de la ville. C'était Westmount contre Hochelaga. L'autobus allait des riches aux pauvres, des pauvres aux riches, sans sourciller. Entre ces deux limites, sur une colonne, imprimés en tout petits caractères, les noms de chacun des arrêts le long du parcours. Le chauffeur poinçonnait précisément le point indiquant le lieu de notre embarquement ; il trouait aussi l'heure. Ce poinçon marquait tous les jours notre point d'origine, il nous situait dans le temps et dans l'espace. Si nous descendions à l'arrêt Frontenac, nous pouvions monter dans l'autobus de la rue Frontenac en montrant simplement notre transfert. Je ne sais pas comment le chauffeur pouvait en un clin d'œil déchiffrer les trous dans le papier, mais il le faisait. Pour valider notre passage, il fallait qu'il voie l'heure, le mois, le point d'origine. Dans ces temps anciens, ces temps brun et beige, les chauffeurs travaillaient très fort : ils conduisaient l'autobus, ils géraient les transferts avec leur poinçon, ils faisaient la monnaie en vendant des billets et, en 1959, ils changeaient eux-mêmes les vitesses de la transmission. De plus, ils annonçaient haut et fort les arrêts tout en nous demandant parfois d'« avancer en arrière ». Cela faisait beaucoup. Où l'on voit que le multitâche ne date pas d'aujourd'hui.

Moi, je viens de ce temps-là, un autobus brun et beige qui s'éloigne dans le vide gris de la galaxie. Qu'est-ce que 1960 dans la tête d'un habitant de la planète 2020 ? J'ai gardé un échantillon de tous les transferts de toutes les lignes d'autobus de Montréal au début des années 1960. Bouts de papier qui sont pour moi le parchemin jauni d'une île aux trésors, l'île à jamais perdue de ma jeunesse. Une carte à moitié effacée, un plan qui m'oriente et me désoriente. Le circuit d'un autobus est un cercle qui se dessine et se redessine. Mes transferts me disent que le 22 novembre 1961, je prenais l'autobus à quinze heures quarante-huit, à l'arrêt Hôtel-de-Ville de la ligne 4 de la rue Sherbrooke, en direction de l'est. Ce que le transfert ne dit pas, mais ce dont ma tête se souvient, c'est qu'il neigeait ce jour-là et que les autobus que nous prenions étaient des autobus Canadian Car de la série 4600. Et quand nous arrivions finalement, transfert après transfert, sur la ligne 86 de la rue Notre-Dame, au-delà du terminus George-V, nous nous rapprochions encore plus de mon vrai point d'origine, Pointe-aux-Trembles, mon quartier. À la question « tu viens d'où ? », je répondais toujours « je viens du bout de l'île ». Les autobus vont et viennent comme le mouvement des vagues qui s'avancent et se retirent, sans cesse. Tous les autobus urbains devraient avoir les couleurs du saumon.

Oui, les transferts brun et beige étaient la preuve sur papier de nos voyages et trajets. C'est dans la routine implacable d'un circuit d'autobus urbain que se cache l'amplitude de notre liberté. Entre la montée et la descente, nous nous affairions, lisions un livre, tombions en amour avec la jeune fille sur la banquette d'à côté, regardions le monde et le temps défiler sous nos yeux, arrêt d'autobus après arrêt d'autobus. Nous étions jeunes et nous pouvions toujours rêver avec un transfert entre les doigts, un passeport qui allait nous permettre de sauter dans un autre autobus afin de prolonger le voyage.

Ce brun et ce beige colorent ma nostalgie. Chaque trajet nous exilait toujours plus, nous éloignait de nos origines, et nous ne le savions pas. Désormais, j'aurais beau attendre dix ans l'autobus de ma jeunesse sur le coin d'une rue, il ne passera pas.

Le pupitre vide du petit Paquette

J'ai connu l'absence alors que j'étais très jeune, sur les bancs de l'école primaire, en quatrième année. Mon voisin de pupitre s'appelait Paquette, surnommé Pâquerette par tous les élèves de la classe. Un beau matin glacial de février, je me suis présenté en classe comme d'habitude, les joues encore rouges de ce froid brûlant. À ma gauche, lors de l'appel des présences, la place de Paquette était vide. Un retard peut-être, une grippe, quelque chose de bénin sans doute. Mais une fois l'appel terminé, la maîtresse a fait une pause avant de nous annoncer gravement que la maison de la famille Paquette, une maisonnette en bois située sur la 4e Avenue dans le vieux Pointe-aux-Trembles, avait été rasée par les flammes au petit matin. L'incendie avait causé la mort de toute la famille, à l'exception du père qui avait pu sauter par une fenêtre du deuxième étage. La tragédie avait emporté la mère et tous les enfants, six en tout.

La nouvelle a sidéré la classe, pour ne pas dire l'école. Elle a attristé tout le pays. Toute la journée, je suis resté interdit, à côté de ce pupitre vide. Nous nous étions salués la veille, le petit Paquette et moi, peut-être avions-nous fait des plans pour jouer au hockey sur la patinoire de l'école le samedi suivant, je ne me souviens plus. Je demeurais à deux rues de chez lui, nous passions du temps ensemble, comme les petits compagnons que nous étions. J'avais beau entendre ce que la maîtresse enseignait ce jour-là, je ne retenais rien. Mon attention était fixée sur cette place vide, une porte ouverte sur l'infini, un trou noir, une fracture dans la ligne du temps. Sur sa petite table, il y avait ses crayons, ses cahiers, mais surtout, il y avait là son image, son odeur, une partie de son âme. C'était comme si un oiseau de proie surgi de nulle part avait saisi Paquette entre ses griffes pour l'emporter dans les airs. Il y avait dans la classe une absence profonde, que nous ressentions avec une émotion plus vive que celle qu'aucune présence n'aurait pu nous inspirer. En fait, jamais Paquette n'avait été aussi présent dans notre esprit. Et j'ai connu cette journée-là le poids véritable de l'absence, la gravité du monde. Paquette n'allait plus écrire d'examens ou de dictées, il n'allait plus recevoir de bulletins. Nous n'allions plus jouer ensemble dans la cour. Il ne reviendrait pas demain ni le jour d'après. Lui qui s'excitait tant quand approchaient les congés d'école, il avait pris congé pour de bon. Plus je voyais ses affaires, plus je prenais la mesure de la chose. Et pour moi, la métaphore de l'absence est restée celle de la chaise vide, de la maison vide, du vide tout court.

La vie, comme de fait, s'est chargée de me répéter la leçon. La différence est grande entre le fait d'« être là » et le fait de « ne plus être là ». Et l'absence est un creux que nulle formule consolatrice n'arrive à combler. « Il nous a quittés, elle nous a quittés » est une expression pleine de sens. Et ce sens est le sens de la peine. Jamais je n'ai revu les amours et les amitiés que la mort m'a fait perdre. Une seconde avant, ils étaient là, une seconde après, ils n'étaient plus là. Mais où sont-ils allés, ces chers disparus, quel est ce voile, cette frontière, cette porte qui, en une fraction de seconde, sépare l'existence de la non-existence ? Cette absence-là est définitive, sans possibilité de retour ou de réapparition. C'est le cul-de-sac de la pensée : quand nous prendrons congé de ce monde, allons-nous finalement combler le vide qui nous sépare de nos morts, répondre « présent » encore une fois, nous retrouver une fois pour toutes ?

Quelque part dans son livre sur la mort, Jankélévitch souligne que le passage ultime est un acquittement. Il nous libère de toutes nos obligations. À l'appel des présences, le mort ne répond pas. Les absents n'ont ni tort ni raison, ils ne sont pas tenus d'avoir des opinions, ils ne votent pas, ne se présentent pas à leurs rendez-vous chez le dentiste, ne font pas la vaisselle, ne paient pas leurs acomptes provisionnels, ne retournent pas leurs appels.

Disons simplement que l'absent est le champion de l'abstention.

Les petits bruits
dans la pièce d'à côté

La prophétie de Ginette

D'aussi loin que je me rappelle, j'ai aimé. Je marchais à peine sur le trottoir que j'aimais le trottoir. Le long de ces trottoirs se trouvaient des érables argentés centenaires dont je me suis amouraché. Jamais je n'ai oublié les grands arbres de ma petite enfance. L'hiver, nous jouions dans la neige et nous disparaissions sous des montagnes de poudreuse ; je me suis mis à aimer les tempêtes, les flocons propres, secs et légers, cette neige qui pique et que le vent soulève dans des poudreries magnifiques. Sur le fleuve, en arrière-fond, des bateaux passaient qui s'en allaient vers l'Europe, et j'ai aimé les bateaux. Nous allions au magasin de « variétés », l'ancêtre du dépanneur, j'ai aimé les bonbons, les bonbons à une cenne. Je jouais avec mon petit frère, j'ai tant aimé mon petit frère. À l'âge des « bicycles à trois roues », avec mes culottes courtes et mes bravades d'enfant, j'ai aimé la petite fille qui habitait en face de chez nous, celle aux cheveux noirs tressés, aux gros genoux noueux, aux sourcils bien fournis, au visage inoubliable. Il y avait une friterie de l'autre côté de la rue, je me suis mis à aimer les hot-dogs. À l'école primaire, j'ai aimé ma maîtresse de troisième année, j'ai aimé mon vélo, les orages électriques, les trembles de Pointe-aux-Trembles, les autobus brun et beige qui menaient à la ville.

Puis un jour, devenu un jeune homme, au temps des

premières neiges, je suis entré dans un magasin de la rue Notre-Dame au moment où une jeune fille glissait dans la porte d'entrée et tombait dans la sloche. Je lui suis venu rapidement en aide, elle n'était pas blessée, juste ébranlée et peut-être humiliée. Un sourire, un regard, c'était l'amour entre nous deux. Allez savoir pourquoi. C'était elle, un point c'est tout. Une saga s'amorçait, nous sommes devenus des compagnons de bonne et de mauvaise fortune, nous avons traversé des paradis et des enfers, des tempêtes, il a fallu qu'elle me pardonne bien des fois, de trop nombreuses fois. Elle s'appelait Ginette et ce prénom, mal apprécié dans l'estime populaire, résonne toujours dans mon souvenir comme un grand mot amoureux. Vingt-sept ans de route commune, puis elle est morte. Au moment de partir, elle m'a dit : « Trouve-toi une femme intéressante, une bonne femme, généreuse, solide... qui sait aimer, car, tu sais, la vie continue... »

Elle a voulu passer le bâton de l'amour. Un peu plus, si elle avait pu, elle aurait choisi pour moi. Amour ultime de l'amoureuse qui tient à la survie du survivant. Évidemment, je ne croyais pas une seconde à cette histoire. Un amour comme celui que je perdais ne se trouve pas deux fois dans une vie. Mais la prophétie de Ginette, contre toute probabilité, contre toute attente, s'est réalisée. Après un deuil aussi chaotique que pathétique, sans trop m'y attendre, j'ai croisé le grand amour pour une deuxième fois. Cela s'est passé dans un restaurant grec de la rue Saint-Denis à Montréal, au solstice de l'été. Si Ginette avait choisi la suite des choses, elle aurait choisi Marie. Depuis ce restaurant, Marie et moi écrivons notre grande aventure, nous allons de tribulations en tribulations, amoureux comme des canards inséparables.

Dans cette affaire, rien ne s'explique, ne se mesure, ne se calcule. À défaut d'analyse, de règles ou de lois, il ne nous reste qu'à raconter. C'est pour cela que nous multiplions les histoires d'amour, dans les romans et dans les films, jusque dans nos mémoires les plus intimes. Et je n'ai rien à dire pour ma défense. Je n'ai jamais vraiment réfléchi à la chose. Quand déjà, à quatre ans, tu aimes le trottoir et le gravier dans la cour, les chiens perdus, ton père et l'auto noire de ton père, cela indique un certain penchant. En vérité, durant le temps de toute ma vie, j'ai simplement aimé l'amour et j'en ai mis de grands élans dans à peu près tous mes regards.

En canot sur le lac sans nom

On était en septembre et le temps était beau. Comme prévu, nous avons trouvé le canot renversé et caché sous les aulnes, dans les broussailles. Il fallait traverser un premier lac, long et sinueux, bordé de pins du Nord, un grand feu de forêt ayant ravagé le lieu plusieurs décennies auparavant. Un geai gris nous accompagnait, bien sûr, semblant nous demander l'aumône des animaux. Dire le calme qui nous envahissait alors que nous progressions vers le nord, un coup de rame à la fois, un coup silencieux, à peine quelques gouttelettes soulevées par le geste, et le canot qui filait doucement à la surface de l'eau pure, comme s'il retrouvait sa nature, léger tel un oiseau dans l'air. Rien à voir avec le bruit d'une chaloupe qui s'enfonce, le brassage impoli d'une eau plongée en elle-même. D'ailleurs, ce canot silencieux emporté sur la surface d'un lac sauvage nous a tout de suite transportés dans le monde des esprits. Nous sommes tombés, Ginette et moi, dans une sorte de rêverie, je dirais même un relâchement, une détente poétique, donnant congé à nos fatigues et à nos angoisses.

Le choc de la paix était puissant et le silence étourdissant. Nous arrivions de Montréal pour annoncer à notre fils, perdu dans le plus profond des grands espaces sauvages, la mort prochaine de sa mère. Depuis des semaines, nous roulions de l'hôpital à la maison, nous passions de traitements en consultations, dans le trafic et l'animation de la ville. L'oncologue venait de nous dire qu'il n'y avait plus rien à faire. Notre garçon poursuivait son rêve de vivre en ermite dans le bois, sans téléphone, sans électricité, pendant plus de six mois. Il fallait bien l'avertir. Nous savions où il se trouvait, et nous savions aussi qu'un canot caché nous permettrait d'aller le rejoindre, de lac en lac, trois lacs plus au nord, à partir d'une route forestière elle-même assez tranquille, en Haute-Mauricie. La traversée du premier lac nous a pris quelques heures. Une fois parvenus à sa tête, nous avons fait un premier portage. Avant de remettre le canot à l'eau, nous nous sommes arrêtés, le temps d'une petite pause, pour manger des sandwichs, boire du thé, assis dans la mousse et le lichen, envahis par la beauté des lieux, saisis de tranquillité. Le geai gris tournait autour de nous, celui-là qui, dans le bois, vient toujours manger quand vous avez un peu de pain. Malgré les circonstances malheureuses de ce voyage, nous nous sommes retrouvés dans un état second, parfaitement heureux, un moment d'éternité. Jamais la nature sauvage ne m'avait autant soulevé qu'en cet instant magique un samedi de septembre, à midi, sur cette petite péninsule à la décharge du deuxième lac, sur le chemin qui menait à la cabane de notre fils. C'était la rêverie, c'était le rêve, nous étions bel et bien passés derrière le rideau des esprits. Dans cette forêt de bouleaux blancs, de mélèzes et d'épinettes luisantes, les arbres parlaient en silence. Le canot lui-même avait pris vie, et nous ressentions intensément cet état de grâce. Un peu plus et on voyait une famille fantôme de vieux Attikameks en train de monter leurs tentes sur les rives du lac sans nom. Des silhouettes d'âmes animales filaient dans le vent léger qui faisait frissonner la surface de l'eau. Nous flottions dans l'air, au milieu d'un jardin rempli de réminiscences. Ici les âmes mortes poursuivaient leur éternel voyage dans les arbres, dans le murmure de l'eau. Elles erraient dans ce silence sacré.

Le lendemain matin, aux premières lueurs de l'aube, ma femme est partie seule en canot sur le grand lac au bord duquel campait notre fils. Nous l'avons vue disparaître dans le brouillard, filant sur l'eau absolument calme de ce lac vierge. C'était comme si un monde l'accueillait et l'engloutissait. Quand elle est revenue, deux longues heures plus tard, elle nous souriait comme quelqu'un qui a rencontré l'absolu. Deux orignaux traversaient le lac à la nage, juste devant son canot. Vue du petit quai de bois, l'image était sublime. Alors mon fils m'a dit : « Elle deviendra un chevreuil, maman, un beau chevreuil en liberté. » Et de rajouter : « D'ailleurs, j'ai vu grand-papa l'autre jour. Il est ici, dans le bois, il est devenu un ours. » Perdu dans la beauté de mes songes, j'ai acquiescé.

Le coup de dés

Le groupe avant nous était américain. Les couples avaient reçu leurs enfants en début de soirée avant de se réfugier dans leurs chambres. Nous allions connaître le nôtre un peu plus tard, juste avant minuit. C'était la cérémonie sans relief de la distribution des enfants, toutes des petites filles chinoises, provenant d'un même orphelinat, une bâtisse grise et humide, mal chauffée, décrépite, perdue dans le centre de Changsha, berceau du communisme chinois, une ville de sept millions d'habitants, bruyante et affairée, où de nombreux ânes tiraient encore des charges au cœur d'un trafic anarchique, dans le brouillard et sous la pluie d'un jour morne de décembre.

Au matin, dans le restaurant de l'hôtel, les Américains et les Canadiens prennent le petit déjeuner, chaque couple avec son enfant fraîchement adopté. Là, il est donné de réfléchir sur le jeu du hasard et du destin. Dans mes bras, la petite Lou, qui vient de passer sa première nuit avec nous. C'est la plus jeune du lot, elle ne parle pas et n'est pas encore capable de se tenir droite, c'est un bébé, qui plus est un petit bébé, chauve, rond certes, mais fragile, sous-développé; elle a manqué de nourriture, de soins, de sommeil. Déjà, Marie et moi, nous la tenons pour notre petit bouddha, notre petit paquet d'amour. En ce matin sombre du mois de décembre, Lou quitte l'orphelinat de Changsha pour toujours: ses vestes de laine par-dessus ses chandails de laine, les boîtes en bois où étaient confinées les petites, les nombreuses *mamas* qui s'occupaient d'elles, tout cela dans le froid et le bruit des pleurs. La petite Lou s'en va à l'autre bout du monde, à Montréal, dans le confort et l'abondance, la chaleur d'un bel appartement, le calme d'un lit, son lit à elle.

Au restaurant, je jase un peu avec les Américains ; une petite fille vivra désormais à Atlanta, une autre à Philadelphie. Dans notre groupe à nous, une famille est de Rimouski, l'autre de Chicoutimi. Les dés sont jetés, le destin a parlé, voilà toutes ces lignes du futur qui viennent d'être tracées, ces récits qui s'amorcent. Heureux ? Malheureux ? Déjà, ce matin, il faut faire manger la petite Lou, une cuillerée à la fois, il faut la rassurer, l'habituer à ces nouvelles voix, à ces visages inconnus. Que disent ses yeux grands ouverts qui nous observent et nous interrogent : s'agit-il d'un jeu, retournerai-je tout à l'heure à l'orphelinat ? Mais à force de présence, de soins et de petites attentions, à force qu'on le lui dise et le lui montre, l'enfant fatiguée s'abandonne et se laisse apprivoiser : elle se réfugie sous les jupes de sa nouvelle mère, elle se love dans les bras de son nouveau père. Elle a reconnu le filon de la tendresse.

Avoir des enfants, adopter un enfant, c'est avant tout créer un monde. Cet univers qui n'existait pas hier, il existe aujourd'hui, intense, inoubliable. Lou, ce sont des jouets et des objets, des toutous, des doudous, des mots et des petites chansons, des livres et des histoires, des courses dans les champs, les sœurs polonaises de la garderie, la cour de l'école primaire, la photo de sa première journée au secondaire, ses rires, ses moues, ses pleurs, ses maladies, une tonne d'inquiétudes, ses réussites scolaires, sa première grève étudiante au cégep, une enfant devenue jeune fille, et ainsi va le fabuleux destin de notre petit paquet d'amour.

Un coup de dés, en vérité, une rencontre à l'aveugle,

tant et tant d'incertitudes. Une voie vous conduit en Espagne, une autre au Canada, nul ne sait ce qui se cache au bout de ces itinéraires aléatoires. C'est exactement le même risque que celui que court tout être qui vient au monde. Dans quelle famille, dans quel pays, dans quelles conditions ? Les Américains ont pigé avant nous, nous sommes passés après, et une enfant est tombée dans nos bras. Aiguillage du hasard, cette enfant s'est immédiatement métamorphosée en notre fille, notre fille à nous, et tous les trois nous voici inséparables à jamais.

J'ai peine à imaginer Lou dans une famille de Cleveland. Cela m'apparaît tout simplement impossible.

Rocky

Ce matin, je suis heureux. Je regarde la rivière, il fait beau, dans le boisé les feuilles de l'érable ont tourné à la couleur orange, des outardes résidentes volent en petites bandes au fil de l'eau, elles jappent. Le grand tremble frilote, je bois ce café essentiel sans lequel je ne saurais survivre, et je commence dans le calme une journée de lecture et d'écriture avec l'impression que je serai béni par de grandes inspirations. Au commencement du jour, tout est possible. Dernier souffle de l'été, j'entends derrière moi des petits bruits familiers, Marie s'affaire et se prépare elle aussi à écrire et à lire avec son café, ses toasts, bien isolée dans son bureau à l'étage. Lou s'entraîne dans le parc tout près, avant de courir au collège pour une leçon de philosophie. J'ai en tête l'émission que j'ai enregistrée hier, dans la joie et dans l'intelligence, avec des collègues complices. Cela, tout cela, s'appelle le « bonheur ».

Mais il suffira d'un coup de téléphone, pire, il suffira que je me mette à réfléchir un peu, au passé, au présent, à l'avenir, pour que cet instant heureux s'évanouisse en une fraction de seconde. Vous me direz : je me suis mis à penser, il ne fallait pas. Voyez comment le bonheur est fragile, délicat. Une idée noire, un mauvais souvenir, une pensée à propos du destin et de la finitude, et le voilà parti. Le bonheur est lié à la sagesse, à l'équilibre, à la paix et à l'élévation de l'âme, certes, mais il est aussi lié à la volonté de le reconnaître, de le saisir, de l'attraper dans les interstices de cette ligne du temps remplie de blessures et de diverses misères. Il en faut, du vouloir, pour absorber tous ces coups, pour apprivoiser ses douleurs, pour rebondir et se déclarer heureux quand même.

Ce matin, je suis heureux avec ce que la vie me donne, là où je suis, comme je suis. Mon père, heureux comme un roi, grand philosophe d'avant les Grecs, disait : « Sois heureux comme que té, ousque té, avec c'que t'as ! » Mais cela ne suffit pas. Je sais que mon bonheur immédiat ne tiendra pas le coup. Il faut s'entraîner, résister, s'endurcir, pour se relever et espérer retrouver ne serait-ce qu'un autre moment de bonheur. Le bonheur, en un mot, est une chose sérieuse, une entreprise difficile. Ce ne sont ni les sourires de singe, ni les cris, ni les *trips*, ni les *highs*, ni les sautillements et les évasions, ni les *selfies* où l'on s'éclate, ni les achats, ni les voyages, ni les désirs brûlants, ni les plaisirs orgasmiques qui illustrent un quelconque bonheur. Le bonheur n'est pas une farce, un rire gras, un gros tapage de cuisses. Bien au contraire. Le bonheur est un sourire, un léger sourire, de l'humour délicat, de l'amour bien senti, en toutes circonstances. Le bonheur, c'est une chance d'aimer, c'est marcher dans une ville sans craindre la violence, c'est manger en famille ou avec des amis, c'est jouir des soins de santé pour tous, d'une éducation supérieure pour tous, c'est la poursuite sans fin de la beauté de la vie, d'une forêt vierge, la marche maladroite d'un petit orignal qui deviendra un grand élan de liberté.

Ce matin, je suis heureux, mais tout à l'heure, je le serai moins. Mes douleurs reviendront, mes inquiétudes, mes cicatrices. Je suis ce vieux boxeur tuméfié, au dernier round, survivant de ce long combat où il a été souvent assommé, mais jamais knockouté. Je lève mes bras meurtris au ciel et j'appelle le nom de mon amour, les deux yeux fermés.

Comment l'amour se fait

Qui fréquente la mort, qui la frôle, qui la touche sentira le besoin naturel de se rassurer, de se consoler. Il semble que la plus belle façon d'y arriver soit de faire l'amour, de le faire comme si l'on vivait son dernier jour. Car le sexe est une déclaration de vie, une célébration, un cri. En ce sens, au mur de notre précaire existence, il y a deux portes voisines, l'une tout près de l'autre, celle du paradis et celle de l'enfer. Voici la porte de la vie, l'entrée, voilà celle de la mort, la sortie. S'enlacer, jouir, se tenir l'un dans l'autre, voilà une façon de se tenir sur le pas de la bonne porte.

« La vie ! la vie ! Bander, tout est là ! » Ce n'est pas moi qui le dis, c'est l'écrivain Gustave Flaubert. Une proposition simple et percutante qui résume, comme disait ce même Flaubert, « l'affaire homme ». Romain Gary, un autre grand romancier, a écrit cinq ans avant de se donner la mort un livre angoissé dont le titre, lui aussi, dit tout : *Au-delà de cette limite votre ticket n'est plus valable*. L'impuissance sexuelle serait bel et bien, chez l'homme, la fin des haricots. Gary écrit : « Les endroits où l'homme place son honneur, c'est incroyable… Les couilles devraient pousser sur la tête, comme une couronne… » Flaubert, Gary, même combat : vieillir ne serait pas une option en matière de sexe ; tu performes ou tu meurs.

Si la vie, c'est bander, faudrait-il croire que de ne pas

bander équivaut vraiment à la mort ? Et à la mort de quoi au juste ? L'identité du mâle passerait-elle vraiment par sa santé érectile ? C'est assez réducteur comme approche. La chose met une pression énorme sur les individus. Mais surtout, cela simplifie et réduit considérablement le champ de l'érotisme. Du côté féminin, il semble y avoir plus d'espoir, plus d'ouverture, plus d'options. Je me souviens d'avoir lu des pages magnifiques de Marguerite Yourcenar sublimant la rencontre des corps, les découvertes, les caresses, la jouissance, le plaisir. Formidable et profond érotisme qui s'inspire des plus grandes sensibilités. L'accouplement est un rapprochement. Qui se rapproche risque l'amour, et ne dit-on pas « faire l'amour » ? Toucher l'autre, être touché, voilà la preuve que nous ne sommes pas seuls sur terre. Voilà la preuve que nous sommes encore vivants. Le dialogue des corps repose sur une grammaire dont les règles nous sont inconnues tant elles sont enfouies loin au fond de nous. Nous savons comment faire l'amour, mais savons-nous vraiment comment l'amour se fait et quels sont les tours et détours qu'il peut emprunter pour s'exprimer pleinement ?

La mort du sexe représenterait la mort tout court, tandis que l'exultation du corps serait le sens même de la vie. Dans cet esprit, la vie sans libido ne vaudrait pas la peine d'être vécue. Toutefois, le contraire se dit aussi : la vie sans libido est une vie moins compliquée. Dans cet ordre d'idées, je me souviens d'un cinéaste italien qui déclarait publiquement que la mort de sa libido l'avait libéré de l'esclavage du sexe. Selon lui, non seulement une vie sans sexe était possible, elle serait souhaitable pour qui cherche la paix de l'esprit, du corps et de l'âme. Il faut supposer que ce cinéaste s'était fort diverti dans les coulisses du sexe, ce qui lui avait fait perdre beaucoup de temps et d'énergie et, surtout, commettre beaucoup d'erreurs. Dit autrement, il avait joui de la vie. Les voies que nous fait prendre le sexe sont en effet incalculables. Ce sont trop souvent des culs-de-sac. Vive les moines, vive les carmélites !

Aurons-nous jamais fini de réfléchir sur le mystère de la sexualité ? Cette pulsion nous habite et nous construit, elle nous emporte et nous identifie, elle nous répare et nous détruit sans que nous sachions ce qui se passe vraiment aux soubassements de l'inconscient. Oui, le sexe nous rappelle à la vie. Tout comme la mort, le sexe est ordinaire, pourtant il nous étonne à tous les coups. « L'acte », comme on disait dans le temps, est un acte de foi. Autant il est répétitif, autant il interpelle notre créativité. « L'amour rend ingénieux », écrit Jankélévitch. Nous pourrions dire la même chose du sexe. Imaginaire autant que physique, fantasmatique autant que réel, le sexe est une célébration aux mille visages. C'est beaucoup plus qu'une affaire de couilles, en somme. C'est une question de vie ou de mort.

Gare de triage

Voyez ce vieil homme qui vient tout juste d'apprendre que, par la faute d'une seule lettre qui ne s'est pas rendue à destination, la femme de sa vie a pris une autre direction. Au village, elle ne l'a pas attendu, elle s'est mariée, leurs chemins se sont séparés, irrémédiablement. Il avait écrit cette lettre d'amour alors qu'il se trouvait à l'étranger, une lettre dans laquelle il lui demandait de l'attendre. Mais l'absence de réponse avait été pour lui une blessure inguérissable, il avait cru que ce silence était une fin de non-recevoir. Soixante ans plus tard, n'ayant jamais oublié cet amour premier, il s'aperçoit qu'une bête rupture dans la chaîne postale leur a coûté une vie d'amour. Cruauté du sort ! Tout cela ne tient qu'à un cheveu, une affaire d'aiguillage. Il est tant de grands amours qui n'ont pas trouvé l'heur de s'accomplir, comme des billes qui devaient se rencontrer mais que leurs trajectoires aléatoires ont éloignées l'une de l'autre à tout jamais.

Gabriel García Márquez, dans *L'Amour aux temps du choléra*, a imaginé ce personnage universel de l'amoureux qui attend toute sa vie que la femme qu'il aime soit libre, c'est-à-dire veuve. Finalement, après cinquante et un ans, neuf mois et quatre jours de patience, de renonciation, voilà la bien-aimée retrouvée, voilà la croisière tant espérée, voilà la cabine sur le bateau, et ces deux vieux qui font l'amour, sans égard pour leurs corps flétris, transportés comme s'ils avaient vingt ans. Oui, retrouver à la fin de sa vie l'amour de sa jeunesse, un amour qui a été contrarié, impossible, mais qui se réalise contre toute attente, telle est bien l'illustration ultime de la force du sentiment amoureux. Je crois que mon frère, très discret sur le sujet, a vécu cette grande aventure : dans une résidence pour gens âgés, il a croisé dans l'ascenseur la femme qu'il avait aimée en secret autrefois, la femme d'un ami. Ils forment un couple désormais, un vieux couple, fondé sur un amour ancien que chacun éprouvait l'un pour l'autre sans pouvoir le dire.

Le train de l'amour est saturé d'incertitudes, dans l'ordre comme dans le désordre. Tant de jonctions, de croisées, de circuits, de trajets, tant de passagers. Le voyageur n'aura pas assez d'une vie pour épuiser semblables espoirs. Il y a des types et des genres, des attractions, de mystérieuses phéromones, des séductions, des ruses et des ingéniosités, il y a des parades et des fétiches, des quétaineries intimes, des désirs, du sexe, de la passion, des orgasmes, des fantasmes, des mots doux, de l'humour, beaucoup d'humour, de la complicité, des intelligences, des caresses, de la tendresse, des silences, des lendemains de veille, des parfums ; il y a de l'amour dans l'air, de la jalousie, de l'angoisse, une peur obsédante de perdre l'autre, il y a des cœurs brisés, des abandons et des émois, des aveuglements, des audaces, du courage, des impossibles, de la fidélité et de l'infidélité, et finalement de la folie. Comment transformer ce choc, ce coup de foudre, ce moment béni, cette nuit de feu, cette période de confusion heureuse, bref, l'événement amoureux, comment le transformer en un long intervalle d'amour pérenne ? Comment transformer une explosion en feu de foyer ?

Voyez ce vieux couple sur le quai de la gare : la dame est en train d'arranger les sourcils en bataille de son vieux compagnon. Elle remet son col en place, vérifie la propreté de son manteau, l'ajustement de son chapeau. Elle veut qu'il soit le plus beau vieux de la place. Lui, il sait que sa vieille femme, même à quatre-vingts ans, est la plus belle créature des cinq continents. Ils sont ensemble, maganés peut-être, mais aussi flamboyants qu'à leur première nuit de passion, comme si cette gare était la répétition d'une gare imaginaire, depuis longtemps disparue, à l'origine d'un interminable itinéraire qu'ils ont parcouru ensemble. Ils peuvent se dire l'un à l'autre : nous avons eu la chance de ne pas nous rater.

Dernier amour

Dans le film italien intitulé *Dernier amour,* réalisé en 1978 par Dino Risi, Ugo Tognazzi joue le rôle d'un vieux comédien, Picchio, qui se retrouve à la campagne, dans une maison pour acteurs à la retraite. Il doit bien avoir soixante ans, mais il conduit une petite voiture sport, refuse de vieillir, prétendant que son séjour à la maison de retraite des acteurs et actrices n'est qu'un moment de repos, un passage entre deux rôles. Mais en réalité, il n'a plus vraiment de carrière et épuise un petit fonds de pension. Il observe le groupe de comédiens et de comédiennes retraités qui n'ont de cesse de se languir au sujet de leur jeunesse passée. Mais lui, il ne fait pas partie de cette bande de mélancoliques. Il se voit en pleine forme, en pleine course, en vie comme il ne l'a jamais été, maître de son propre jeu.

Durant son séjour, il tombe en amour, ou en désir, dirions-nous, avec une jeune femme de chambre, Renata, jouée par Ornella Muti, d'une beauté sublime. Renata, à peine dix-huit ans, rêve d'aller à Rome, qu'elle n'a jamais vue. Notre vieil acteur entreprend de la séduire, il lui raconte Rome comme lui l'a connue et vécue, magnifique, animée, illuminée, là où se passent les vraies choses de la vie. Envoûtée par les paroles de l'acteur et par ses avances pathétiques, Renata accepte de le suivre pour aller vivre leur histoire d'amour dans la grande ville imaginée. Dès lors, notre homme se teint les cheveux en noir foncé, il rajeunit sa moustache, il chantonne, il siffle, il bondit comme un veau au printemps, il épate la galerie. Il est assommé par cet amour inespéré et son comportement est aussi comique que tragique. Une fois arrivé à Rome, il dépense beaucoup d'argent pour impressionner Renata, restaurants, théâtres, hôtels. Il sait qu'il ne pourra pas tenir longtemps, toute sa pension est en train de s'envoler.

De toute façon, il ne se passera pas une semaine avant que la jeune femme ne s'amourache d'un jeune Romain, avec qui elle s'évapore aussitôt. Le vieil acteur se retrouve seul, désargenté, désarçonné surtout, étourdi par ce qui vient de se passer en quelques semaines. Il retourne, penaud, vers la maison de retraite, au volant de sa voiture sport. Sans regretter rien d'autre que l'épuisement de sa propre vie. Ce dernier amour caricatural l'aura autant comblé que blessé. Une chose est sûre, il n'a jamais été dupe.

Dans la version originale italienne, le film s'intitule *Premier amour,* exactement le contraire du titre français. Premier, dernier, l'amour est une chose étrange, il s'inverse et se retourne sur lui-même, il sert à tout dans notre quête du bonheur, dans notre course vers le malheur. Le personnage joué par Ugo Tognazzi est celui d'un être conscient, il est le comédien suprême, il joue le rôle authentique dans la seule pièce qui compte vraiment, sa propre vie. Il a joué sa dernière carte, peut-être, il a choisi la voie de l'absurde, il a inventé cet amour de toutes pièces. Mais qui pourrait l'en blâmer ? À force de se mentir à lui-même, il a cru que l'amour était un jeu.

Nous recherchons le bonheur, nous fuyons le malheur ; nous avons peur de souffrir, nous voudrions toujours jouir et ne jamais mourir. Voilà le corps de notre universelle humanité. Tout ce que l'on peut dire de Picchio, c'est qu'il ne fut pas bien sage. Brûler son maigre fonds de pension pour quelques jours d'un improbable amour avec une jeune fille de dix-huit ans, cela est un peu triste de la part d'un homme plus que mûr. L'amour est extrême par nature, il se nourrit de tous les impossibles, il rend aveugle, c'est bien connu. Mais c'est quand il rend aveugle à l'amour même qu'il fait le plus de dommage.

Picchio s'est trompé : il a pris l'amour pour ce qu'il n'est pas, une illusion durable, comme si les feux de la scène allaient briller toujours. Renata ne l'aimait pas et lui n'aimait pas Renata. Mais pour elle comme pour lui, le faux amour était le faux passeport de leur fuite absurde. L'une pour Rome, l'autre pour Jouvence.

Le cri

J'ai peine à penser combien nous avons eu peur, ma première femme et moi, durant la très longue période où elle a combattu cinq cancers, entre 1982 et 1995. Nous sommes allés d'espoirs en désespoirs, de craintes en craintes, d'attentes en déceptions, bref, nous avons vécu dans la peur constante d'une perte de contrôle, d'une nouvelle effrayante, d'un dernier acte. Après une éternité de treize ans, faite de chutes et de rechutes, de rémissions et de rebondissements, cela est finalement arrivé. Son dernier cancer, celui qui lui a été fatal, s'est attaqué à l'enveloppe de son poumon. Soudainement, elle s'est mise à éprouver des douleurs insupportables dans les côtes ; sous le coup de certaines attaques, elle poussait des cris dont le souvenir m'effraie encore. Ces cris me déchiraient l'âme tellement j'étais impuissant à la soulager. À cause de ses souffrances, sa mort a été une libération, pour elle comme pour moi. Elle n'en pouvait plus d'avoir peur, elle ne supportait plus son cri de mort. Quant à moi, l'impuissance me ruinait, l'absurde m'habitait. Lorsque la peur se transforme en détresse et que deux amoureux se voient séparés par une mort inéluctable, alors les mots n'existent plus, la peine ne se dit pas.

Aux côtés de Ginette, j'ai vidé mon réservoir de peur. Je ne pensais pas revivre un jour une misère pareille. Mais voilà qu'aujourd'hui je retrouve cette tension que j'ai trop bien connue. Marie, ma deuxième femme, est gravement malade. Elle a une tumeur au cerveau. Depuis des mois, nous vivons dans la peur des complications, des aggravations, de la mort. Outre cela, notre vie est bien normale, je dirais même plutôt belle. L'amour, l'humour, la volonté de vivre, la création, tout cela nous tient bien en vie. Mais il reste un arrière-goût à tout. Était-ce le dernier Noël ? Le dernier anniversaire ? Tout moment de bonheur s'accompagne de l'idée de la perte : nous sommes heureux pour combien de temps ? Le dernier café, le dernier croissant, le dernier petit déjeuner ?

Depuis quelques jours, Marie éprouve de grandes douleurs aux jambes. Il lui arrive souvent de crier tant cette douleur atteint des paroxysmes. Cela me fait peur. S'agit-il d'une simple sciatique, d'une crampe, de quelque chose de bénin, d'une douleur posturale ? Ou s'agit-il du début de la fin ? D'un côté, je nous vois brillants d'espoir, heureux d'écrire ensemble, enfilant les projets, fiers parents de Lou, notre belle enfant, deux amoureux du pays de l'amour, arrachant une journée à la fois des moments de vie précieux à tirer des larmes de reconnaissance. Mais d'un autre côté, nous nous demandons : qu'arrivera-t-il quand le temps manquera de temps ?

Égarée dans la nuit noire, en pleine forêt sauvage, la promeneuse avance à l'aveugle ; elle a une peur bleue en entendant les bruits mystérieux qui l'entourent. Pour se donner du courage et s'empêcher de hurler de panique, voilà qu'elle chante, voilà qu'elle sifflote un air joyeux, dans l'espoir que ces turlutes tromperont la mort.

Une lettre à Dieu

Si je devais écrire une lettre au Destin, elle serait rédigée sur le ton de la colère, dans le style de l'indignation totale. Mais qui es-tu, Destin, pour ainsi nous frapper à l'aveugle, pour balancer nos vies par terre, pour constamment jouer à la roulette russe avec le sort de tout un chacun ? Si je devais écrire une lettre importante à Dieu, je lui écrirais sur le ton de mon immense colère, dans le style de tous les reproches. Quel est ce silence, ce silence de Dieu en face des enfants qui meurent, en face de la souffrance universelle ? Nous savions que le vivant était difficile, mais pourquoi fallait-il qu'en plus il soit aussi fragile ?

En réalité, la nature, comme la vie, est d'une grande beauté. Il suffit de regarder ses formes et ses couleurs, ses perfections et son étonnante complexité pour réaliser à quel point tout cela tient du miracle. Mais il suffit aussi d'une seconde pour réaliser combien tout cela ne tient qu'à un fil. On dira de la vie qu'elle est trop belle pour être vraie. Regardez ce lièvre, il est blanc, mignon et magnifique, tout à fait chez lui dans cette neige, sous les sapinages, il fait bondir sa propre beauté dans la beauté plus grande encore d'une forêt sauvage. Il respire, il joue dans la poudreuse, la lumière du soleil se faufile entre les branches, tout se tient dans ce sous-bois, tout a un sens dans la vie ordinaire d'un lièvre parmi tant d'autres. Mais soudain, une martre blanche surgit de nulle part, elle saute au cou du lièvre, le mord jusqu'à ses veines. La martre tient sa proie, elle ne la lâchera plus. Il y aura du sang rouge sur la neige, une longue agonie, des cris de douleur, du désespoir dans les yeux de l'animal, c'en est fait de la beauté du monde, du jeu et de la joie, voici le côté tragique de la vie, une surprise absurde, comme si le bonheur n'avait été qu'un piège.

D'un seul coup, le temps d'un bref instant, tout s'assombrit. La beauté fait place à son contraire, il y a un bris dans la mécanique du monde. Le soleil devient brûlant, aveuglant et cruel, tout ce qui était bien tourne au mal, tout ce qui était joie vire à la tristesse. En ce non-sens, le vivant est l'archétype du cadeau de Grec : recevoir le don de vie revient à chuter dans le drame de la finitude. Celui qui naît aujourd'hui sera demain celui qui meurt. Que ce soit par accident, de maladie ou simplement de vieillesse, le vivant s'érode, s'étiole et s'évanouit. La grande éléphante, qui sait tout de tout, les bons chemins, les points d'eau, les dangers, les endroits où bien se nourrir, finira par ne plus se souvenir, par ne plus être capable de simplement marcher. Et ce chef-d'œuvre de la nature qu'est la matriarche rejoindra le cimetière des éléphants, dans la vallée ordinaire des choses du passé. Le sort du vivant est-il toujours aussi cruel ? Pourquoi, mon Dieu, garder le silence devant tant de malheurs ? Ne devrions-nous pas hurler notre colère à ton égard, plutôt que bêtement prier pour que tu daignes te pencher sur les souffrances du monde ? Et nous irons jusqu'à pousser ce cri : n'es-tu pas tannée de mourir, la vie ?

Pour déjouer les méchancetés du Destin, nous n'avons que l'amour, ce fameux amour qui est une arme à deux tranchants. J'aime penser que l'amour humain peut tout, que notre amour peut beaucoup plus que le supposé amour divin, qui, lui, ne se manifeste jamais. Inconsolables, nous n'avons que nous-mêmes pour rebondir, nous avons l'encyclopédie de nos amours et le poème de nos dignités, nos histoires et l'esprit de nos traces, nous n'avons que l'amour pour entretenir le feu de l'espérance, pour créer de la confiance et de la paix, car il est impossible qu'une pareille beauté ne transcende pas la bêtise de la vie. Ma lettre à Dieu serait une mise en demeure. Ordre de comparaître au tribunal des absurdités, avec des milliers de preuves à l'appui. La souffrance est un scandale, et toi, mon Dieu, tu devrais être condamné pour non-assistance à personne en danger.

Les petits bruits dans la pièce d'à côté

Je crois bien que de nos jours, lors de funérailles, il n'est rien de plus souvent évoqué que cette citation de saint Augustin à propos de la mort :

L'amour ne disparaît jamais
La mort n'est rien
Je suis seulement passé dans la pièce d'à côté.
La vie signifie tout ce qu'elle a toujours signifié
Elle est ce qu'elle a toujours été
Le fil n'est pas coupé.
Je vous attends
Je ne suis pas loin
Juste de l'autre côté du chemin.
Vous voyez, tout est bien.

Ces paroles sont bien belles, ce sont de magnifiques formules consolatrices. Cependant, saint Augustin, confronté au mystère de la grande absence, est quand même loin du compte. La différence entre le vivant et le mort me semble plus grande que ce qu'il suggère. Il nous dit : l'absent est toujours présent, il est juste de l'autre côté de la porte. Cette proposition ne tient pas compte de l'épaisseur de la porte. Il dit : je suis juste de l'autre côté du chemin, mais tient-il compte de l'impossibilité de le traverser, ce chemin ?

La bonne intention de saint Augustin est de rapprocher les morts des vivants en supposant l'existence d'une mince cloison séparant les uns des autres. Mais l'idée de « la pièce d'à côté » n'est pas si rassurante. Si ma femme mourait demain, si mon amour incommensurable se retrouvait dans la pièce d'à côté, si elle était là, toute proche, adossée côté mort à la paroi qui la sépare de la vie, alors je chercherais à faire sauter les murs, je creuserais un tunnel, je défoncerais la porte avec un bélier en acier. Mais ce serait inutile, et j'irais au bout de mon effort avant de m'effondrer de douleur. La porte ne s'ouvre pas, elle ne s'éventre pas. Le mur est parfaitement étanche. C'est un cauchemar ! Jamais on n'a vu un mort revenir sur ses pas pour nous dire à quoi ressemble l'au-delà. Il n'y a pas que les voies du Seigneur qui soient impénétrables. Nous sommes présents temporairement, nous sommes absents éternellement, la vie est brève et nous devons tous et toutes y passer. Notre propre finitude défie l'entendement. Imaginez le temps où nous n'avons pas été avant de venir au monde, imaginez la plage de temps qui nous est réservée après notre passage sur terre. Nous passons notre temps à ne pas être, il est anormal d'être vivant. Et dans ce clin d'œil de vie, nous trouvons le moyen d'aimer, de nous attacher, de tenir à tout ce que nous avons connu.

L'absence d'un grand amour à jamais perdu ne peut pas être consolée. Nous voulons la présence de l'être aimé, pour nous coller. Il n'est pas de mots, d'images ou de formules pour atténuer la douleur d'une absence définitive. Il ne reste que le silence, le calme, la paix, seule façon d'entendre les petits bruits de « la pièce d'à côté », là où les amours mortes se détendent, dorment à volonté et se reposent en paix, libérées du poids de leurs souffrances, de leurs doutes et de leurs peurs.

Je est un autre

La société des faux visages

Voici un propos fragmenté, éclaté, un texte en miettes et en morceaux, comme un miroir brisé, prophétie de malheur. Je n'ai jamais eu le réflexe de me regarder dans une glace, trop peureux pour réellement m'envisager. À la réflexion crue de mon image, je préfère un dessin plus riche, plus créatif, un miroir déformant si l'on veut, projeteur d'images inventées. Nous sommes tous des images trafiquées, il n'est rien de plus ancien dans l'histoire que Photoshop. Le portrait de César n'est pas César, et de loin. Alors, c'est compliqué. Il y a d'abord la surface, puis il y a la profondeur. Si nous nous attachons trop à la surface du miroir, nous aurons de nous-mêmes un aperçu superficiel, généralement contrariant. Nous y verrons des rides, des taches, des défauts, sujets à toutes les chirurgies plastiques. Tout l'art de se regarder dans le miroir consiste à délaisser ce premier reflet pour mieux pénétrer dans le cœur de la chose. Il y a plusieurs couches, comme des pelures d'oignon, et notre vrai visage se terre sous tout cela, à l'abri des regards. Le premier reflet n'est qu'un masque, les autres, plus profonds, sont des dévoilements. Le miroir est donc un mur qu'il nous faut franchir.

Il ne faut pas se fier aux apparences, et la galerie des glaces est un immense trompe-l'œil. Ces miroirs se fragmentent, ils se brisent en mille morceaux, ils éparpillent les images dans tous les sens. À ce jeu, on ne sait plus qui est qui, qui est le vrai, qui est le faux. Le miroir fait commerce de nos doubles, il réfléchit de faux masques. D'ailleurs, la théorie du double a longtemps existé dans de très nombreuses sociétés de chasseurs. Nous sommes deux, et l'un de nous, le plus important, se cache derrière le miroir. Cette doublure, qui est un esprit, a la capacité de s'introduire dans plusieurs corps. Je pense à ces danses traditionnelles des Kakwakakwas et des Haïdas de la côte du Pacifique, véritables représentations théâtrales avec des costumes élaborés, où les acteurs et les actrices deviennent des oiseaux et portent des masques figurant des aigles, des corbeaux, mais aussi des épaulards, des esprits humains, des âmes animales.

Reflets de l'âme, images des esprits et des fantômes, nous voyageons dans les miroirs du monde, nous devenons l'autre qui nous habite, et sous la forme d'un seul humain se cachent mille visages, des actes et des scènes, des souvenirs et des avenirs. Nancy Huston, vieillissante, se regarde dans la glace, et qui voit-elle ? Elle aperçoit sa mère, la tête de sa mère. Elle aurait pu apercevoir sa grand-mère ou une lointaine ancêtre, sans le savoir. Moi-même, si je me regardais assez longtemps dans ce fameux miroir, je verrais la grimace des grimaces, le cri des cris, la cicatrice des cicatrices. Je verrais tous mes ancêtres, des pauvres, des hors-la-loi, des perdants épuisés par la vie, mais je verrais surtout l'ensemble de mes rêves, le catalogue de mes illusions, le sourire de mes peines, la lumière de mes émerveillements. Dans la profondeur de ma glace intime, je me suis imaginé heureux, je me suis déclaré beau, contre les évidences qui me disent le contraire.

Le chien, quand il regarde son maître, voit un grand chien-maître. Ou peut-être croit-il qu'il est lui-même un humain, allez savoir. L'ours ne sait pas la gueule qu'il a ; quand il rencontre un autre ours, il ne dit pas : je ressemble à cet ours qui passe devant moi. Il ne compare pas la couleur du poil, la grosseur de la patte. A-t-on jamais vu un ours noir se prendre pour un brun ? Peut-être. Ce petit chien bâtard, plein de fougue et de vaillance, s'est toujours pris pour un molosse. Il s'appelle Fido, il ne paie pas de mine, mais dans sa tête de chien il a la gueule et la prestance de Rintintin, il se croit invincible, il n'a peur de rien.

* * *

Je serais deux que je n'en serais nullement surpris. Quand je remonte les sentiers de ma vie, plein d'indices pointent en ce sens. Je sais que j'ai reçu un choc à l'âme, alors que j'étais jeune et que je vivais au milieu des épinettes noires, juste à côté d'une rivière brune, fraîche et sauvage, à sa jonction avec la mer, grand méandre et bruit de vagues, des kilomètres de plage, bois noyé et sable fin. Je passais mes journées à parler avec de vieux chasseurs innus qui, immanquablement, faisaient référence à l'« Autre », un autre soi tapi en notre for intérieur, une force puissante appelée en innu-aimun *Mista-Napeo, mista* pour « grand », *napeo* pour « homme ». Autrement dit, un surhomme dormirait en nous, un nous-même invisible mais un nous-même amélioré, plus fort et plus puissant. La théorie vaut aussi pour les femmes, qui, elles, abritent une *Mistaskoueo, mista* pour « grande », *iskoueo* pour « femme ». Cet Autre qui nous habite peut faire du bien ou du mal, sans que nous le sachions vraiment. Il se manifeste dans nos rêves, la nuit, ou lors de nos périodes de profonde méditation.

Mes recherches me laissaient beaucoup de temps libres. Je croyais flâner, marchant à l'aveugle dans les petits sentiers parcourant les forêts d'épinettes, ou bien assis sur le sable en regardant la mer. Cependant, je ne flânais pas. Comme je l'ai ressenti par la suite durant toute ma vie, je faisais humblement connaissance avec mon double. Perdu dans mes pensées, c'est le cas de le dire, je le voyais se détacher de moi, s'envoler, se retrouver loin, très loin dans le temps et dans l'espace. Mon double voyageait plus vite que la vitesse de la lumière. Mes pensées devenaient des images filantes. Mon double faisait un instant la loi. Je voulais savoir s'il était gentil ou méchant, faible ou puissant, beau ou laid, pareil à moi ou bien différent. Mais il m'échappait toujours, fuyant la raison et l'explication. Notre double déteste l'analyse, l'enquête et les conclusions. À mon époque, on aurait facilement pu parler de voyages psychédéliques, et je me suis souvent dit que je vivais sous les effets d'une drogue aussi inconnue qu'efficace. Mais j'étais naturellement disposé à ce dialogue avec un fantôme, mon âme à moi. J'ai su à vingt ans qu'être unique était loin d'être simple.

Depuis ces temps heureux où j'apprenais des Innus l'existence de l'Autre, j'ai eu maintes fois l'occasion d'expérimenter cette vérité. Rimbaud écrivait à son ami Paul Demeny la célèbre formule : « Je est un autre. » À l'aide de cette formule, il essayait d'expliquer que l'expression poétique et la création artistique en général n'étaient pas la parole du je ou du moi. Le poème, l'œuvre, viennent de l'Autre, celui-là qui ne répond en rien à la raison du moi. Voilà qui explique bien des choses. Ou plutôt, voilà qui embrouille bien des choses. L'œuvre échappe à l'artiste comme le poème au poète. Ces écrits qui sont les nôtres ne nous ont jamais appartenu. On le sent bien quand ils sont publiés. Les livres s'éloignent et font leur vie. Produits de l'esprit vagabond, ils voyagent sans but à la recherche de lecteurs. Quand elle se produit, cette communion des âmes a lieu bien loin du je de l'auteur, et c'est très bien comme ça. Le « je pense donc je suis » de Descartes est ainsi pulvérisé par l'idée du « je rêve donc je crée ». Les actions et les confidences de l'âme ne sont pas des exercices de clarté. Par définition, la source des œuvres artistiques nous échappe. Tous mes textes et tous mes livres ont été écrits par cet Autre qui vit et dort en moi. Je n'ai pas de nom pour ce fantôme, mais il est là, actif et besogneux. C'est l'auteur anonyme de mes meilleurs coups. Les anciens Iroquois appelaient ce phénomène « le renversement de la cervelle ». Pour mieux voir le monde et pour mieux en parler.

De la nécessité de se mouiller

Autrefois, jadis, lorsque j'étais étudiant en anthropologie, tout le monde autour de moi, les professeurs, les étudiants des cycles supérieurs, les jeunes débutants, tout le monde parlait du « terrain » comme on parle d'une chose mystérieuse et sacrée, une sorte d'initiation, de passage, de transformation profonde. Nous savions qu'un jour ou l'autre nous allions devoir plonger, aller là-bas, le plus loin possible. Être sur le terrain, faire du terrain, en revenir, cela conférait une aura qui marquait la grande différence entre celui qui l'avait fait et celui qui ne l'avait pas fait. L'initié avait traversé cette clôture du confort, il s'était aventuré dans un monde parallèle, il avait mis à l'épreuve ses capacités, nourriture, solitude, désarroi, désorientation totale, pour reprendre finalement ses sens, une vision du monde en plus.

Mais de quoi s'agissait-il vraiment ? L'anthropologie, de tradition britannique, tirait son originalité de sa méthode de terrain. C'est ce qui distinguait l'anthropologue du reste des chercheurs en sciences humaines. Sur le terrain, l'ethnologue devenait un ethnographe, celui qui note, qui observe directement, qui participe, celui qui écrit et recueille, qui amasse des données inaccessibles à tous ceux qui ne sont pas sur le terrain. Sans terrain, l'anthropologue demeurait un ethnologue, en anglais un « *armchair anthropologist* ». Lui n'avait connu que les livres, que le confort de son bureau, il s'était tenu à distance, sans trop prendre de risques, sans se salir les mains, théoricien, statisticien, magicien du questionnaire. Tandis qu'avec un terrain, l'anthropologue en herbe devenait un vrai anthropologue, dont le titre était fondé sur son ethnographie originale. Longues, profondes, ces immersions devenaient des mythes rattachés à une personne. Le *fieldwork* de plusieurs années était une carte de compétence.

On entrait dans les bureaux des professeurs comme dans des musées qui nous impressionnaient fort. Certains avaient au mur des masques dogons, des statuettes africaines, d'autres avaient des sculptures mexicaines ; je revois une photo de ma professeure d'ethnolinguistique alors qu'elle vivait en Amazonie, parmi les Jivaros, une autre de cet homme curieux qui avait vécu si longtemps parmi les Esquimaux, puis de ce professeur anglais qui avait découvert une tribu inconnue en Papouasie... Vieille époque, époque révolue de l'arc-en-ciel culturel, nous n'en étions pas encore aux jours du documentaire express.

Le terrain était une religion, c'était aussi une méthode, celle de l'immersion extrême. L'observation participante était censée nous faire voir de l'intérieur les réalités sociales, culturelles, religieuses et ainsi de suite. Il s'agissait d'aller en profondeur, de s'y maintenir longtemps, puis de revenir à la surface avec des données qui provenaient de l'intérieur même d'une culture. Données éminemment subjectives, approche nettement qualitative, on était fier de dire que l'on s'identifiait avec le sujet de sa recherche. Pour parler du chamanisme, il fallait avoir connu des chamans, il fallait avoir vécu des expériences chamaniques, connu la transe, les champignons, les voyages astraux. Apprendre des langues, assimiler des codes : l'ethnographe était à la fois un caméléon et une éponge, il s'approchait au maximum de son objet d'étude. En fait, dans ce type d'immersion, l'observateur se transformait lui-même en son principal outil de recherche. À travers son expérience, il était le capteur, l'enregistreur, la sonde et ainsi de suite. Dans l'immersion, il faut se mouiller.

Dans ma vie d'anthropologue, j'ai passé beaucoup de temps sous l'eau, c'est-à-dire sur le terrain. J'ai été en canot, j'ai été à la chasse, gavé de castor, j'ai été en camion, j'ai fait de la route, bourré de hamburger steak, noyé de café, ethnographe dans l'âme, traversant des mondes dont chacun m'aura transformé à jamais. Disons que j'ai été très souvent baptisé, initié, immergé. Chaque fois, j'ai eu cette impression étrange : la tentation de ne plus revenir, de ne plus remonter à la surface, de m'identifier une fois pour toutes à ces univers qui m'auront tant fasciné.

Les fourrures du lac Nipigon

Pierre-Esprit Radisson est mort dans son lit, vieux. Devant sa dépouille, quelqu'un aurait pu dire : « Voilà un homme qui a pratiqué le dangereux métier d'aventurier, risquant sa vie tous les jours pendant de nombreuses années.» Tout au long de ses incroyables périples, Radisson a affronté les vagues et les glaces des Grands Lacs, les hivers du monde boréal, il a sauté les rapides les plus tumultueux en canot d'écorce, sans casque ni veste de sauvetage, il a palabré et négocié avec des nations amérindiennes inconnues, souvent menaçantes et malcommodes, des peuples parlant des langues différentes, algonquiennes, siouses, iroquoiennes, il a subi la torture des Iroquois, deux fois, a connu le premier le Minnesota, découvert la richesse des fourrures au nord du lac Nipigon, affronté des tempêtes océaniques dans l'Atlantique Nord, survécu miraculeusement à un naufrage dans les Caraïbes, entrepris des explorations maritimes en baie d'Hudson, exploré les forêts nordiques des Cris du côté ouest de la baie James, toujours sur l'eau, en terres inconnues, pour finalement s'établir en Angleterre, écrire ses mémoires, se transformer en gentleman anglais désargenté, et ultimement mourir dans son lit à Londres, pendant son sommeil. Juste entendre l'écho de ses courses nous donne l'envie d'applaudir. La vie de Radisson est la définition de l'ingéniosité et du rebondissement : combien de fois a-t-il déjoué la mort ? Sa vie n'a été qu'un long calcul ; il l'a passée, cette vie, à prendre la mesure des obstacles, à les surmonter, à les contourner. À estimer l'épaisseur de la glace, la nature d'un chemin, la menace dans l'air, le remous. Entre prudence et audace, Radisson prenait constamment des risques, mais il semble qu'à tous les coups il connaissait assez le danger pour retomber sur ses pieds.

L'envie nous prend de comparer. Champlain a traversé l'Atlantique Nord plus de vingt fois durant sa vie de gouverneur de la Nouvelle-France. À chaque traversée, il avait une chance sur deux de périr en mer. Si Champlain avait voyagé sur Air France, il aurait réduit ses risques considérablement, cela tombe sous le sens, mais sa vie aurait quand même comporté d'autres risques. Il serait mort d'ennui, peut-être. Car le risque n'est pas toujours spectaculaire et immédiatement périlleux ; il se cache sous chacune de nos décisions, il y a toujours un risque à emprunter une voie plutôt qu'une autre, et ce pari perpétuel met du piquant dans une vie…

Plus jeune, quand j'ai choisi d'étudier le mode de vie des camionneurs nordiques pour ma thèse de doctorat en anthropologie, je prenais le risque de me faire charcuter par mon jury. Puis lorsque, me détournant volontairement d'une carrière universitaire, j'ai décidé de faire ma vie en tant qu'anthropologue autonome, je prenais un risque énorme, celui de tirer le diable par la queue pendant longtemps. Lorsque, avec Marie, j'ai pris l'avion pour aller en Chine chercher un bébé qui allait devenir ma fille, j'avais cinquante-quatre ans et je prenais des risques, dont celui d'être trop vieux pour me lancer dans une telle aventure. Il m'a fallu calculer dans ma tête : la verrais-je grandir et devenir une adulte, ma petite Lou ? Serais-je un père ou un grand-père ? Ou manquerais-je tout simplement de temps ? Il faut toutefois reconnaître que la société actuelle ne tient pas le risque en haute estime. Confortable, elle est devenue ultra-sécuritaire. Si nous respectons les consignes et les conseils, si nous restons dans le sentier battu, nous devrions nous en sortir sans peine. Cela verse à la fin dans l'ennuyance la plus totale.

Radisson, s'il revenait au monde, ne serait pas partant pour aller faire du canot-kayak extrême en fin de semaine juste pour se désennuyer. Et je ne sais trop ce qu'il penserait des explorateurs d'aujourd'hui, autofilmés, se mettant faussement à risque pour l'œil de la caméra. Il aurait probablement dit, à propos des fourrures au nord du lac Nipigon : « Je crois bien que je vais les faire venir par Internet. »

Monsieur le professeur

J'aurais pu l'appeler « Monsieur le professeur », mais il n'enseignait à personne. Sa salle de classe était déserte, tous les étudiants l'évitaient pour ne pas avoir à essuyer une leçon dont on ne se relevait pas sans peine. Car il avait une pédagogie cruelle : « Nul ne devient sans payer le prix du devenir. » Monsieur le professeur ne corrigeait pas les travaux, il les rejetait. Il ne critiquait pas une présentation, il s'en moquait. L'élève en était quitte pour se demander : « Mais qu'ai-je fait de mal ? » Et le professeur de répondre sèchement : « Vous êtes loin du compte, mon ami, bien loin du compte ; recommencez ou changez de métier. » Devant un pareil défi et face à une telle dureté, chacun s'éloignait de cet être bizarre qui hantait les murs de l'université.

Pour une raison inconnue, je me suis intéressé au maître fou que personne n'avait la patience d'endurer. J'essayais de déchiffrer le code, son code. Or, au fil du temps, il faut croire que j'y suis parvenu puisqu'il est devenu mon mentor et mon ami. En fin de compte, il m'a enseigné les choses les plus importantes qui soient dans la formation d'un humain en ce monde : l'esprit critique. Ne croyez jamais ce qui se raconte dans les médias, ce qui s'écrit dans les journaux, ce qui est le fruit d'une étude, ce qui est une théorie, une mode, un dogme. Éloignez-vous des gens qui ont une opinion ! Rejetez les écoles, les thèses parfaites, les solutions, les systèmes. Bannissez de votre vie la pensée facile, les raccourcis et les idées du grand carnaval des lieux communs. Il disait qu'il fallait toujours retourner aux sources, respecter la complexité, la subtilité, la profondeur et l'histoire d'un sujet. Cette liberté-là, la liberté de la pensée, empruntait impérativement les chemins de la connaissance et de la compréhension. Or, comprendre une infime partie du monde, cela est plus rare et plus précieux qu'un filon d'or perdu sous la calotte de l'Antarctique. Il en faut, du travail, du sérieux et de l'expérience, pour atteindre le plateau de l'autorité. Si Monsieur le professeur se montrait si intraitable et si désagréable, c'est qu'il avait la certitude de vivre dans un monde superficiel de caquetages, de bruits et de gazouillis. La pensée est dans un piètre état depuis que plus personne ne doute de son point de vue. Voilà bien ce qu'il était, mon professeur, un démolisseur de certitudes, un redresseur de visions du monde, mais surtout un combattant solitaire et incompris, perdu dans un désert sans fin.

Chacun croit qu'il est facile de se lancer sur la piste inconnue de la pensée libre et sauvage. Les discussions avec mon mentor étaient à peu près impossibles, certainement insupportables. Car il niait tout, arguait constamment, boudait les propositions et les conclusions, fumant des cigarettes à la chaîne, buvant son scotch sec, car il buvait beaucoup. Imaginez le personnage, imaginez le professeur. Avec les idées, il était comme le compositeur de musique qui cherche des notes et qui réécrit constamment sa mélodie, sans jamais parvenir à une forme achevée. C'était un professeur fou. J'ai peut-être été son seul élève. De moi, il exigeait la perfection : le mot, la phrase, les sources, l'originalité, la liberté.

Il est mort jeune, d'un cancer de la gorge. Il est mort sans avoir écrit son livre (il ne croyait pas aux livres), il est mort sans même avoir amorcé une œuvre en particulier.

Voilà bien le drame du penseur qui s'enfonce trop loin dans le doute : il passe tellement de temps à s'interroger qu'il risque de mourir avant d'écrire sa première certitude. Mais dans sa tombe, Monsieur le professeur doit se retourner. Il ne croyait pas en lui, mais il croyait en moi. Il m'a tellement torturé que j'ai fini par penser par moi-même. Il a fait de moi un libre penseur, ce qui est le plus beau cadeau du monde.

La philosophie de l'orteil

Montaigne fuyait le monde comme la peste. Voilà pourquoi, dès l'âge de quarante ans, il s'était réfugié dans sa tour pour lire, philosopher et écrire ses célèbres *Essais*. « Fuir la peste » n'était pas une expression vide à son époque. Depuis plusieurs générations, de terribles pandémies ravageaient les vieux pays. Les gens mouraient comme des mouches. Outre la peste, les survivants devaient affronter les violences des guerres de religion. Au temps de Montaigne, on aurait pu se demander ce qui tuait le plus : la peste ou les violences entre protestants et catholiques. Enfermé dans sa bibliothèque, Montaigne lisait Sénèque, il pratiquait l'isolement volontaire. On dirait aujourd'hui qu'il appliquait les règles de la distanciation sociale. Le roi de France ne l'avait pas demandée, cette distanciation, c'est juste que Montaigne en avait assez de voir mourir les gens à tout bout de champ. Il s'était lui-même volontairement assigné à résidence. Et cette assignation fut définitive et irrévocable.

Dans sa solitude, donc, Montaigne s'occupait à écrire ses *Essais*. Il lisait beaucoup, il mangeait bien, il filtrait soigneusement ses visiteurs, ne parlant qu'à ses très proches amis. Montaigne était un philosophe ancien, même en son temps. Il écrivait sur l'éducation, les idées et la morale, sur les effets pervers des religions, sur la politique. Il écrivait beaucoup sur la mort. Ce qui fait l'acuité de son propos, ce qui en universalise la pertinence, vient du fait que Montaigne était un fin observateur de tout ce qu'il voyait, de tout ce qu'il vivait, de tout ce qui lui arrivait, dans sa chambre. C'était un ethnographe qui se nourrissait des détails de sa vie et de sa condition quotidiennes. La mort lui était familière, car il la voyait partout autour de lui. Il la savait inéluctable et la considérait comme une chose ordinaire. D'ailleurs, il insistait beaucoup sur le sujet. La carrière de l'humain, écrivait-il, c'est sa finitude, c'est-à-dire sa mortalité, et la philosophie lui sert justement à cela, apprendre à mourir. Mais on n'apprend jamais, semble-t-il. La stratégie la plus commune est de « ne point y penser », même si le déni n'a jamais sauvé personne. Nous continuons à vivre sans penser à la mort et nous continuons à la trouver surprenante.

C'est de son ordinaire que Montaigne tire la plupart de ses idées. Il a mal aux orteils et le voilà qui disserte sur la souffrance du corps humain. Pour lui, la goutte dont il souffre affreusement est le prétexte à philosopher sur les imperfections de la nature, sur le vieillissement du corps, sur le temps qui nous est compté. Il a mal digéré, son estomac brûle, voilà qu'il pense à la nature des aliments que les humains ingèrent, à la manière de les manger, trop vite, sans réfléchir, en trop grande quantité, etc. Sa réflexion intime rejoignait la réflexion de tous. C'est dans sa retraite, seul avec ses livres, qu'il se sentait un humain parmi tous les humains. Blaise Pascal reprochera à Montaigne ses observations intimes et ses longues réflexions fondées sur l'ordinaire du corps humain. Philosophie de l'intestin, dira Pascal pour railler Montaigne. Pourtant, le gros orteil souffrant de Montaigne valait bien les migraines chroniques de Pascal.

Tel est donc l'enseignement de la distanciation sociale. Un petit pas de côté, une sortie de la parade, une retraite, une pause qui nous renvoie à nous-mêmes. La vie est répétitive et routinière. On se douche, on mange, on fait une promenade, on lit, on écoute de la musique, on regarde par la fenêtre, on prend ses maux en patience. Et le lendemain, cela recommence. Jusqu'à ce que mort s'ensuive.

De l'importance du méchant Pan-Pan

Nos méchants trahissent notre âge. Si je vous parle de Pan-Pan, le gentil méchant de la série télévisée *Pépinot et Capucine,* vous saurez que je n'ai plus vingt ans depuis long-temps. La pauvre marionnette ne faisait peur à personne, mais elle jouait bien son rôle de marginal. Pan-Pan était seul, il avait dans sa tête un grand inventaire de mauvais coups pour se faire remarquer. Il ne voulait de mal à per-sonne, il cherchait juste à exister. Pépinot et Capucine n'au-raient pas frappé l'imagination de ma jeunesse sans ce Pan-Pan, l'ineffable joueur de mauvais tours, prisonnier de son uniforme de « bandit en prison », le chandail zébré du hors-la-loi éternel. Tous les enfants jouaient à « qui est le bon, qui est le méchant » : qui est du côté de Pépinot, qui est dans l'équipe de Pan-Pan ?

Le méchant est vieux comme le monde, il est déjà dans la Bible, c'est un serpent, puis ce sera Caïn, ce sont tous les esprits mauvais, souvent visqueux, écaillés, rôdant dans les marais. Jack l'Éventreur passe à l'action dans le brouil-lard de Londres, le Joker empoisonne la vie de Gotham City, et toute histoire a besoin de son méchant. La route qui va du sympathique Pan-Pan au répugnant Hannibal Lecter représente tout le chemin qui mène à l'enfer. Les soldats SS, les agents de la Gestapo, voilà les terribles visages du

Malin. De longs manteaux noirs, des cœurs absents, des regards de glace.
À l'aube de la conscience, on trouve la question du Bien et du Mal. Le Méchant est nécessaire au Bon. À Dieu il faut le Diable, au croyant il faut un mécréant, et que serait la police sans bandits à attraper ? À la vie il faut la mort. Nous aimons les méchants, les *bad boys* et les *bad girls*, tous ceux et celles qui se sont libérés des chaînes de l'obligation éthique. Vestes de cuir et têtes de mort, les Anges de l'enfer ne s'en font pas pour leur avenir. Et nous aimons cette liberté illégale. Nous aimons le pouvoir de la méchanceté, son charisme, ses costumes, son allure. Chacun de nous a un démon en lui, aussi bien le fréquenter, l'apprivoiser, le laisser respirer. Et si, personnellement, je me suis toujours vu comme un « bon gars », je garde en réserve le « méchant » au cas où il pourrait servir. Il faut être malin pour combattre les malins. C'est la recette universelle du film moderne : tu auras beau tuer en série, violer des victimes, torturer des innocents, jouir de la souffrance des autres, il se trouvera toujours un Jason Statham, un Sylvester Stallone, un Bruce Willis, voire une Wonder Woman, une Nikita ou une agente redoutable, bref une justicière, pour venir te débusquer au fond de ta ruelle glauque, pour t'extirper de ton repaire et pour t'infliger le double de tous tes crimes, te démolir à la mesure des souffrances que tu as fait subir. Car les réparateurs de torts ont encore moins de pitié que les méchants pour les coupables de méchanceté.

Qui est le bon, le cowboy ou l'Indien ? John Wayne ou Geronimo ? Je pense à tous les méchants dans *Tintin*, le riche Rastapopoulos, le capitaine Allan, les ambulanciers criminels qui ont chloroformé Tintin et qui l'emmènent, ligoté, chez le commanditaire de l'enlèvement. Les méchants de *Tintin* ont des têtes carrées et rasées, des traits patibulaires, des imperméables sombres, des petits revolvers noirs, des petites matraques. Ils s'appellent Yvan, Boris ou Vlad. Un monde peuplé exclusivement de bons ferait disparaître la bonté dans un pâle récit sans rebondissements. Pan-Pan mettait du piquant dans un théâtre de marionnettes qui en avait bien besoin. En cela, Pan-Pan sera toujours le vainqueur !

Voici donc l'énigme de ma génération : pourquoi Brutus passe-t-il son temps à kidnapper Olive, à lui enrouler des cordes autour du corps, à la déposer sur des rails alors qu'un train arrive à vive allure, forçant Popeye le Marin à manger des épinards pour libérer Olive in extremis et battre Brutus ? Et moi, je mangeais des épinards, j'avais six ans bien sonnés, je marchais dans la ruelle, bombant mon petit torse, à la recherche d'un méchant sympathique à qui je pourrais arranger le portrait.

*   *   *

Dans la cour de ma petite école, dans les rues et les ruelles de mon quartier, sur les patinoires en hiver et les terrains de balle en été, j'ai toujours éprouvé une aversion bien sentie à l'égard des méchants. Je les repérais, les observais et les gardais à l'œil. Si nécessaire, je faisais mon brave et je me mettais en travers du chemin de ces garçons vicieux qui n'avaient d'autre idée que d'intimider les gentils. Bien sûr, ce sont des histoires de jeunesse. Beaucoup de bravade, du colletage et des petits coups de poing sur la gueule. Devenu adulte, comme tout le monde, je me suis retiré de mon rôle de justicier et de superhéros du quartier. Vaincre le mal est un jeu vraiment trop dangereux.

Mais je n'ai pas oublié les leçons de la cour d'école. Première règle : reconnaître le méchant. Rien de plus désolant que de se faire surprendre par un hypocrite, une manière de serpent à visage d'ange. Partout où je vais, j'évalue les personnes, j'examine les lieux et je débusque les méchants. J'appelle cela du « profilage de cinquième vague ». Souvent, ce n'est pas celui qui a « l'air méchant » qui l'est le plus. Les pires se cachent sous des airs de rien. J'en ai vu qui étaient comptables, veston bleu pâle, les doigts croches. Il y en a même qui, de la part de gens non avertis, ont reçu plusieurs fois le bon Dieu sans confession. Toutefois, ils se trahissent quand même pour qui sait les démasquer : ils ont souvent l'œil torve, le geste brusque, le sourire sardonique, la verve vénéneuse, l'haleine fétide, la gestuelle obséquieuse, l'humour mauvais, la langue sale et l'âme noire.

Deuxième règle : dans nos rêves, toujours imaginer la chute et la fin du méchant. Pour m'endormir ou me calmer, depuis ma jeunesse jusqu'à aujourd'hui, je maltraite des méchants imaginaires, je m'invente des malicieux, je les capture, les interroge, je vais jusqu'à les assommer s'ils ne collaborent pas. Cela se passe dans ma tête seulement, mais Dieu que c'est bon pour ma santé mentale ! Une fois la planète nettoyée par mes bons soins de ses Hitler et de ses Idi Amin Dada, quand j'ai fini de fusiller et de mitrailler tous les monstres de ce monde, de Néron jusqu'à Gengis Khan, je m'endors dans la paix. J'appelle cela « faire sortir le méchant », c'est-à-dire évacuer une mauvaise énergie qu'il ne convient pas de garder en soi. Je recommande la pratique comme on recommande de faire du yoga.

Les gens croient à tort que je connais et regarde tous les films intellectuels et intelligents qui peuvent se tourner, que je bois les meilleurs vins, lis tous les livres et mange santé. En réalité, par un prolongement des obsessions de ma jeunesse, mes films préférés sont ceux de Jason Statham, des films d'action qui répètent le scénario universel du bon qui corrige les méchants. Je n'aime pas le vin, je n'ai pas lu tous les grands auteurs ou autrices, et j'ai un faible pour les sandwichs au Paris Pâté. Mon film préféré est *The Equalizer,* mettant en vedette Denzel Washington. Lorsque j'écoute mes films violents, la trame sonore est insupportable, coups de feu, explosions, cris de mort, toujours les mêmes voix françaises de postsynchro parlant une langue que personne n'a jamais parlée. Exaspérées, ma blonde et ma fille ont résolu de m'acheter un casque d'écoute afin de m'isoler dans ma folie. Je peux ainsi plonger dans mes vengeances en silence.

Tous les jours, au moment de m'endormir, je règle mentalement leur compte aux méchants de ma journée. Ce peut être un vendeur impoli, un petit gérant d'estrade, un médecin inculte, un avocat incompétent, un quidam grossier. Je m'arrange pour que toutes les contrariétés du jour se résorbent en un grand coup de balai, comme lorsque Denzel Washington, en une seule soirée, tue tous les membres de la mafia russe de Boston.

L'amour au temps de l'Alberta

Au collège, nos professeurs nous imposaient la lecture de certains livres jugés fondamentaux. Parmi ceux-là, je me souviens de *Deux solitudes* de Hugh MacLennan. Je ne sais plus si ce travail relevait de nos cours de littérature ou de ceux de science politique, mais le livre m'avait vraiment impressionné. D'abord le titre, *Two Solitudes,* que je trouvais beau, ensuite le sujet, une question inabordable et difficile : l'incommunicabilité entre le monde des Canadiens français et celui des Canadiens anglais. Montréalais dans l'âme et francophone, je comprenais la question. Il était bien vivant, le boulevard Saint-Laurent, la *Main,* ligne frontière entre l'est et l'ouest, deux univers fermés.

Le roman nous présente des Anglais plutôt riches, éduqués, férus de commerce et de finance, bien au fait des progrès industriels, ouverts sur le monde, maîtres de la Bourse, des grandes villes et de l'avenir, vivant entre eux, cossus, dans le décor victorien de leurs maisons bourgeoises. À l'opposé, MacLennan présente le Canadien français comme enfermé sous la soutane des curés, réfractaire à l'éducation, ignorant des affaires, du commerce, des progrès industriels, habitant des campagnes perdues, hors de l'histoire et du monde, prolétaire des villes, esclave ou flanc-mou, baignant dans une pauvreté culturelle sans nom. Une vision Mordecai Richler des choses, en somme. Or il est vrai que dans ma jeunesse nous n'en étions pas au « bonjour-*hi*! ». Le « bonjour » n'existait pas encore et on nous servait le « *hi*! » à fond la caisse. Le français, surtout la langue canadienne-française, n'avait pas cours dans les commerces, toutes les enseignes de toutes les bâtisses de la ville étaient écrites en anglais. Le pauvre catholique prenait son trou sous la férule des riches protestants. Nous avions notre Maurice Richard, ils avaient leur Gordie Howe. Les anglos ne nous aimaient pas, et nous le leur rendions bien. Mais ils avaient le gros bout du bâton.

À dix-sept ans, dans ce Pointe-aux-Trembles perdu du Bout-de-l'Île, j'ai eu, le temps d'un été, une blonde originaire de Calgary. Elle était la fille d'un grand patron d'une des nombreuses raffineries de pétrole de l'est de la ville. Elle s'appelait Randy, comme bien des filles de l'Ouest, j'imagine. En l'espace de trois mois, j'ai vécu un amour de jeunesse, un amour interculturel, aussi bref qu'intense. J'ai appris l'anglais dans le temps de le dire et j'ai aussi appris moult choses fascinantes, sur les Rocheuses, sur la vie d'une enfant d'une famille pétrolière nomadisant entre le Texas, Calgary, Edmonton et Montréal. À la fin de l'été, Randy est repartie pour l'Alberta sans jamais avoir appris un mot de français, sans jamais non plus avoir posé une seule question à propos de mon monde. Nos deux solitudes suivaient les lignes du pouvoir, elles suivaient les lignes de fracture définissant si bien le Canada.

Commémorant les soixante-dix ans de la parution du roman de MacLennan, Fabien Deglise, dans un article du *Devoir* paru en 2015, soulignait que les conditions renvoyant les anglos et les francos dos à dos ont disparu, et que les deux solitudes ne sont plus les mêmes aujourd'hui. D'ailleurs, Fabien Deglise nous suggère que Hugh MacLennan avait trouvé le titre de *Two Solitudes* en s'inspirant de la *Lettre à un jeune poète* de Rainer Maria Rilke. Ce der-

nier parle des deux solitudes présentes dans le lien amoureux ; il définit l'amour comme « une cohabitation entre
deux solitudes », amenées au quotidien à se protéger, à se
toucher, à prendre soin l'une de l'autre. Définition admi-
rable de nos solitudes amoureuses. Et Rilke aurait pu poursuivre, je suppose, en parlant de respect, d'admiration
mutuelle, de partage des responsabilités.
Après cela, qui n'aimerait pas l'Alberta ?

*   *   *

Dans le stationnement d'un petit centre commercial de
Cartierville, j'attendais patiemment le retour de Marie qui
faisait des courses dans une épicerie. En réalité j'écoutais la
radio, tout en rêvassant un brin. Soudain, on cogne à la vitre
de mon auto. C'est une jeune femme, je ne l'ai pas vue s'approcher, elle arrivait de mon angle mort. Avec un accent
maghrébin bien appuyé, elle me dit : « Papa, papa, mon
grand-papa, avez-vous de l'argent pour que je puisse acheter un peu de nourriture, je suis diabétique, voyez mon stylo
d'insuline, papa, grand-papa, aidez-moi, Allah vous remer-
ciera ! » Peu importe la suite de cette petite histoire, j'avoue
m'être demandé dans quel univers vivait cette jeune femme.
Elle ne savait absolument pas à qui elle parlait, elle n'avait
aucune idée du monde dans lequel elle se trouvait. Elle
aurait dû savoir que pour un vieil homme à barbe blanche,
francophone d'Amérique, Allah n'est pas exactement une
référence. Non vraiment, dans mon palmarès des idées
fortes, Allah n'a pas la cote. D'aucuns auraient pu se sentir
irrités par cette intrusion, exprimer même une petite colère.
Mais mon sentiment et ma réflexion ont été tout autres.
     Bien plus que de songer à lui faire l'aumône, je me suis
plutôt dit combien il serait nécessaire d'aborder cette jeune
femme comme le ferait un grand-père, justement, sur un

ton grave et bienveillant, afin de transmettre des savoirs essentiels. Je lui dirais : « Viens, raconte-moi ton histoire, je vais te raconter la mienne. Tu me diras d'abord le pourquoi de ton exil, les espoirs de ton nouveau monde, tu me diras tes nostalgies, tes rêves, tes difficultés, tu me parleras de ton pays d'origine, du soleil de l'Afrique du Nord, de ta mère, de ton père. En retour, je vais t'expliquer dans quel univers tu te retrouves, je vais te raconter l'histoire des gens d'ici, les francophones d'Amérique, je vais te parler des goélands dans le stationnement, de l'histoire de Bordeaux-Cartierville, de la Révolution tranquille, de ce à quoi rêvent les gens de ton nouveau pays, quels furent leurs combats dans l'histoire, à quoi ressemblent leurs projets de société. » Bref, je lui aurais ouvert les portes de ma propre identité.

J'appartiens à un peuple qui a beaucoup donné en matière d'aveuglement religieux, une société où les archevêques comptaient plus que les politiciens. Dans ma jeunesse, il y avait dix soutanes au pied carré, et Dieu régissait nos vies, à notre grand désarroi. Dieu était partout, il voyait tout. Ses prêtres ruinaient la vie des femmes, la religion nous tenait dans la misère, la crainte et la culpabilité. De cette prison, nous nous sommes évadés. Par ailleurs, j'ai grandi dans un monde qui a été méprisé par les anglophones. Nous savons l'exil, le manque de respect envers notre culture et toute l'arrogance imaginable à l'égard de notre langue et de notre histoire. Le Canada anglais, malgré le petit sourire multiculturel et innocent qu'il affiche aujourd'hui, n'a jamais été une partie de plaisir pour les francophones et pour les autochtones, ni non plus pour les Noirs ou les Asiatiques. Et aujourd'hui, contre toute attente, envers et contre tous, résilience oblige, nous la parlons, notre langue maternelle, le français d'Amérique, nous travaillons à notre manière à la construction d'une société originale. Et cette société nouvelle n'a pas plus besoin des remerciements d'Allah que des commandements de Dieu. Elle a besoin d'intelligence, de savoir, d'humanité, de bienveillance dans le discours, de respect dans les débats, de sensibilité, de rêve et de beaucoup d'amour.

Dans le stationnement du modeste centre commercial, quelques jours plus tard, j'ai revu cette jeune immigrante, cette fois avec un bébé dans les bras, entre le McDo et l'IGA, au beau milieu d'un congrès de goélands. Comment cette jeune mère d'origine étrangère se retrouve-t-elle pareillement désorientée, abandonnée des dieux, sans ressources, dans le nulle part d'un pays nouveau ? Je ne sais trop. Mais je rêve d'une société où cela n'existerait pas, une société où personne ne serait oublié.

Une maladie mystérieuse

Enfant, je souffrais d'une maladie mystérieuse. Si le monde d'aujourd'hui avait existé à l'époque, une armée de psychologues se seraient rués sur moi comme autant de papillons sur une lumière de nuit. J'étais prisonnier de mon imaginaire, imaginez, et je ne souffrais pas qu'on me ramène dans le monde réel. À la réalité je ne voyais que des inconvénients. L'amertume de la vérité me chamboulait le cerveau, je fuyais le réel comme on fuit le feu de Belzébuth, et je détestais les guides qui voulaient me « ramener sur terre ». Je tenais à l'altitude de mon imaginaire comme on tient à la solitude de sa liberté. Évidemment, j'avais tout faux, et cette maladie m'aura coûté très cher puisqu'elle m'a poursuivi durant toute ma vie. Jamais je n'ai pu me libérer de cette folie qui consiste à rêver le monde, à l'enjoliver, à l'exagérer, à l'investir d'une poésie condamnable, ce qui m'a toujours empêché de bien distinguer le vrai du faux. Plutôt que de chercher la vérité du monde, j'ai poursuivi sa beauté.

En fait, j'ai rapidement appris que mieux valait un beau mensonge qu'une vérité assassine. Et qu'il y a entre le vrai et le faux un va-et-vient extrêmement créateur. Les chemins de la vérité sont tortueux, ils passent souvent à travers les brouillards de l'à-peu-près, ils se perdent dans des forêts d'illusions, s'enfoncent dans de sombres marais, pour en ressortir plus riches, plus profonds et plus vrais encore. Une bonne partie de ma vie a donc consisté à dire le faux pour enrichir le vrai. Ce débroussaillage épistémologique s'appelle l'« ironie » et j'ai peine à croire qu'un enfant de huit ans, celui que j'ai été, ait pu tomber si jeune dans les sentiers encombrés d'une semblable posture philosophique. Mais comment pourrais-je m'en surprendre, considérant les mensonges de mon père ? J'ai appris de lui comment raconter une histoire. Dans un monde où l'on nous met en demeure de ne pas raconter d'histoires, ni à nous-mêmes ni aux autres, dans un monde d'aveux et de vérités, mon père avait choisi son camp. Dans son récit de vie, tout était faux, il s'inventait des jeunesses et des amours, l'histoire de sa vie a toujours été une histoire à dormir debout. Si bien que nous n'avons jamais rien su de sa réalité et de sa solitude. Ce n'était ni vérité ni fausseté, c'était quelque chose entre les deux. Ce n'était pas faux, c'était flou.

À l'école, lorsque le professeur exposait une vérité toute nue, sans nous avertir, une vérité qui venait détruire mes rêves d'enfant, je recevais le tout comme un coup de poing que l'on m'aurait asséné. Il me fallait battre en retraite, donner raison à la vraie chose, composer avec le déficit de magie, la mort de la fabulation et de la poésie. En conséquence, l'école m'ennuyait beaucoup. J'étais constamment dans la lune. Mon éducation primaire fut premièrement lunaire. S'il fallait, dans une histoire, dire toute la vérité et rien que la vérité, tout récit se résumerait à un témoignage plat et à un simple compte rendu des faits. Voilà bien ce que les professeurs faisaient avec l'histoire et la géographie, avec les lettres, les mots et les chiffres. Ils tuaient les matières. Ils ignoraient la magie des nombres, des lettres et des idées. Ils récitaient le programme comme on récite un catéchisme. En ce programme je n'avais pas la foi. Comment pouvait-on à ce point mépriser les mystères du monde ?

Oui, une armée de psychothérapeutes m'auraient pris

en charge, on m'aurait enfermé dans un protocole radical de thérapie d'urgence. On m'aurait enfoncé de force dans la tête l'idée qu'un plus un égale deux, que tout ce qui se conçoit bien s'énonce clairement, qu'il faut accorder ses concepts aux choses réelles, etc. Mais que faire quand, aux origines de la poésie, le chiffre 2 est le chiffre du chêne, 3 celui du sapin et 4 celui du tilleul ? Que faire quand le mélèze est l'âme des naissances, le saule la déception des morts, et ainsi de suite ? S'il existe un « vrai monde », il en existe aussi un « faux ». Il m'arrive trop souvent, au contact du vrai monde, d'avoir une réelle envie de me noyer dans l'océan du faux.

*   *   *

Quand je pense à tout ce qui m'a fait rêver dans le cours de ma vie ! Combien d'arbres ont déclenché dans mon esprit une méditation profonde, une absence ! Je pense à ces longues conversations intérieures qui me reliaient à l'être de ce grand pin blanc, dans ma forêt d'Huberdeau, en haut de la descente vers le gros crique, réflexions libres et répétées sur l'enracinement, l'immobilité, la mort d'une branche, la généalogie, le temps, le froid, les tempêtes de neige, les orages d'été, les bourrasques et la pluie, les moustiques et la résine, réflexions sur l'œil et le cœur de ce géant, sa durée, sa résilience, sa mémoire, méditations sur le bois, les planches, les planchers de pin, la cuisine, les chambres, la maison, le grand pin blanc de la paix, la famille, les aiguilles qui couvrent le sol, les cocottes, les petits pins qui poussent tout autour, l'écureuil roux.

Je ne me suis jamais remis de la lecture de *La Poétique de l'espace* de Gaston Bachelard. Toute ma vie j'ai cherché ce lieu, cette chambre, cette maison, ce grenier, ce lieu fermé, cette coquille, cet intérieur où me lover, me recroqueviller, me réfugier. Comme dans un ventre. Nous cherchons la chaleur du foyer, du feu, jusqu'au degré zéro que représente la flamme de la chandelle. Les fantaisies de Bachelard sont des rêveries de délivrance. J'ai déjà passé une journée entière à fixer le mouvement des vagues et des marées sur des roches rondes et lisses, à Sainte-Luce-sur-Mer. L'eau, rien que l'eau, du ruisseau jusqu'à la mer, nous entraîne au plus profond de notre monde intérieur, jusqu'au tréfonds de notre âme. L'humain a un double avec lequel il parle toute sa vie. La maison de Bachelard, c'est la méditation, le recueillement, quasiment la prière. Ces vagues, le bruit de ces vagues, ce mouvement, ces embruns, tout cela nous ramène à la naissance du monde, dans ce qui peut à première vue nous sembler un état second, une douce folie.

La douce folie de Gaston Bachelard, qui consiste à libérer son imagination afin d'aller au-delà des choses, est en fait une permission de rêver. Et cette rêverie donne accès à la poétique du monde, comme dirait ce grand aventurier de l'imaginaire. En ces matières, il est difficile de trancher entre le normal et le pathologique. Est-ce normal de revoir toute l'histoire du monde, de retrouver le sens de l'univers à travers la flamme d'une chandelle ? Surtout de la part d'un scientifique ? En vérité, tous les objets, tous les paysages, le monde entier et tout ce qu'il contient ont un visage poétique que seules la rêverie et l'imagination peuvent apercevoir. Or imaginer, c'est un peu mettre sa raison en vacances. Imaginer, c'est se donner la permission de transgresser les lois implacables de la logique. Cela nous permet de prendre des raccourcis intellectuels créateurs, inattendus. Il est vrai que le rêveur prend des risques. Il est encore plus vrai que le génie frôle la folie, vous vous souvenez. Notre esprit peut se dérégler pour avoir poussé trop loin dans les images vues, les voix entendues, les associations délirantes. On est génial, et soudainement on perd la raison. Pensons à Émile Nelligan, à Edgar Allan Poe et à combien d'autres artistes délinquants de l'esprit, que leurs pérégrinations ont conduits à franchir des limites.

L'équilibre entre la raison et l'imagination est un équilibre précaire ; un petit pas de trop par ici, un petit pas de trop par là, et l'on devient malade. Je crois qu'il existe un aussi grand nombre de « déséquilibrés » du côté de ceux qui sont atteints d'un excès de raison que du côté de ceux qui sont atteints d'un dérèglement de l'imaginaire.

Un petit garçon dans la nuit

Qui ne se souvient pas, enfant recroquevillé sous ses couvertures, d'avoir eu une peur bleue de quelque chose d'effrayant, ou d'avoir eu tout simplement des angoisses indistinctes qui provenaient du plus profond de soi ? À l'âge de quatre ou cinq ans, j'ai vécu avec un cauchemar récurrent, une peur qui me tenait éveillé et qui me torturait dans mon lit. C'était l'image vive d'une tête avec une hache enfoncée dedans. Allez savoir pourquoi cette image me hantait, mais il m'a fallu des mois sinon des années pour m'en débarrasser.

Plus tard, au collège et à l'université, j'ai développé une peur maladive de parler en public. Je bégayais, je suais, je devenais étourdi, bref, l'obligation de faire un exposé me rendait malade. Mais j'ai si bien vaincu cette peur que, depuis ce degré zéro où je me faisais pitié à moi-même parce que je paralysais à l'idée de parler devant le monde, je n'ai jamais arrêté de parler devant des publics. Plus tard encore, je suis devenu gravement aérophobe et pathétiquement claustrophobe. Juste pour me faire du mal, mon travail m'a obligé à voyager beaucoup en avion et, bien que la chose me fasse encore mourir aujourd'hui, à prendre forcément l'ascenseur. Il faut croire que la vie ne sait faire que cela, nous forcer à envisager nos peurs. Car l'humain est, sur le fond, un être peureux, un fuyard, la proie de ses propres archétypes de frayeurs. Depuis la nuit des temps, il en a conçu, des monstres et des dragons, des ennemis et des méchants. Il a créé le loup-garou, les vampires, les diables de tous les enfers. Son imagination, ajoutée à sa vulnérabilité, a inventé les films d'horreur. Pour lui, tout est peur : l'avenir, le noir, le vide, l'étranger, la maladie, la solitude, la souffrance, les serpents, le visqueux, le diable, les clowns, le vent, les hauteurs, les profondeurs, les ascenseurs.

Faire peur au monde est un métier très ancien, plus vieux que celui de forgeron, certainement plus vieux que le métier de vendeur. La peur jouant sur à peu près tous les tableaux, il est facile de choisir la menace d'entre toutes les menaces et de crier au loup devant un public qui, ignorant tout, a peur de tout. Une fois, ce sera le virus, une autre fois la bombe atomique, hier, c'était le nazi, ce fut aussi le Japonais, mais ce pourrait être le Chinois. Un jour, un chaman s'est levé et a dit aux membres de la bande : « Ne franchissez jamais ce fleuve, il y a des monstres sur l'autre rive », ou encore : « Priez les dieux, car autrement, le ciel pourrait nous tomber sur la tête. » Avec de pareilles déclarations, la politique de la peur était née. Fondés sur la peur de toutes les peurs, les mondes religieux et politiques prenaient leur envol. Il fallait un rituel, il fallait construire un mur, il fallait des armes, mais ce qu'il fallait surtout, c'était se rallier autour des chefs. Une fois les menaces bien établies, le prêtre saurait invoquer les dieux, le forgeron forgerait des armes, les vendeurs les vendraient aux guerriers et l'empereur se poserait en défenseur de ses pauvres sujets.

Aujourd'hui, je ne rêve plus à cette tête fendue par une hache. La lecture, l'école, les récits, la philosophie, la science et tant de belles rencontres avec des esprits riches et ouverts ont chassé mes idées noires de petit garçon apeuré. Le savoir et la culture m'ont fait trouver la beauté, le sublime. Cependant, j'ai encore mes peurs, d'autres peurs. En 2016, Donald Trump s'est emparé de son trône en cultivant parmi ses fans la peur des Mexicains. Aujourd'hui, ses partisans, bedon-nants à casquettes, ignorants et armés, ne se gênent plus pour faire peur au monde. Ces brutes grossières, vêtues comme des bouffons, complotistes et démentes, m'effraient plus que l'araignée velue, plus que la COVID-19. C'est qu'elles carburent à l'ignorance, une arme d'assaut à l'épaule. Quand je les vois aux nouvelles télévisées, ou sur le web, je vois l'échec de l'humanité. Et l'échec de l'humanité, c'est surtout cela que je crains aujourd'hui, au milieu de mes nuits de vieil insomniaque.

Permis de douter

La peur est notre bonne amie

La peur remonte à la nuit des temps, une nuit noire, bien entendu. La peur du noir fut la première de toutes les peurs ; il a fallu allumer un feu pour éloigner les bêtes, mais aussi pour faire de la chaleur et de la lumière. L'humain est une créature vulnérable, un animal frissonnant qui passe son temps à avoir la chair de poule. Il est très mal équipé pour affronter quoi que ce soit ; apeuré dès sa venue au monde, il a absolument besoin de se réunir avec ses semblables autour d'un feu pour s'éclairer, se réchauffer, mais surtout se rassurer. Le foyer est l'essence même de notre sécurité, il n'est rien comme un feu de foyer pour nous reposer l'esprit, il n'est rien comme d'observer attentivement une flamme pour rêver et méditer. Cette lumière fait un cercle, un halo. Ce cercle fera une clairière, une éclaircie où l'herbe sera courte, une surface sans fardoches pour mieux voir venir le prédateur. Du gazon, en somme. À l'intérieur de ce cercle, chacun pourra dormir sur ses deux oreilles pendant que les autres veillent. Il y aura une sentinelle, un vigile, le cas échéant une police.

Cette peur primale nous habite encore aujourd'hui, elle nous a toujours accompagnés sans que nous soyons jamais parvenus à nous en défaire. D'ailleurs, est-ce possible ? La peur du noir est devenue la peur de l'inconnu, la peur du crépuscule, celle du vent, celle du voisin. C'est la peur en général, l'indéfinissable crainte d'un ciel qui pourrait nous tomber sur la tête, c'est bel et bien cette indicible peur qui a fait notre monde. C'est à cause d'elle que nous vivons en société. Mais nous ne sommes pas sortis du noir : la société qui nous rassure est aussi celle qui nous fait peur. La famille des humains, c'est un tas de peurs mises ensemble. Peur du loup, peur de l'autre, de l'étranger, du barbare, du sauvage, peur de l'eau, des éclairs et du tonnerre, du vide et des monstres, peur des chiens, des brigands, peur de Dieu, du Diable, de la mort, de la maladie, des serpents et des accidents. Peur de la solitude, peur de manquer de nourriture, de manquer d'argent, de manquer d'air, peur de perdre, peur de se perdre. On peut aller jusqu'à avoir peur de soi-même...

Pour avoir vécu dans la crainte du Dieu catholique, nous avons bien connu l'industrie des indulgences. La faute nous guettait, nous avions peur d'être punis. Nous avions peur de nous faire chicaner, peur de nous faire condamner, peur d'aller en enfer. Mais aujourd'hui, le technocrate remplace le prêtre. Le moraliste néolibéral nous chicane : vous n'avez pas mis assez d'argent de côté, vous ne savez pas calculer, vous n'êtes pas assez prévoyants, pas assez protégés. Le politique sait se servir à bon escient de tout ce capital de peur. Car il n'est rien comme la peur pour gouverner en paix. Le président, le roi, le premier ministre vous diront : les méchants nous menacent, la pauvreté nous guette, nous courons au désastre, à la faillite, au déficit, à la pénurie, si ce n'est pas à la famine, l'ennemi est aux portes, mais moi, le chef du Parti du repos de l'esprit, je vous assure que je vais régler tout cela et vous protéger contre le Mal et la souffrance, car je suis sans peur et sans reproche. Le jeu de la peur est le jeu le plus ancien, il a bâti des empires, des royaumes. Il assure aujourd'hui le pouvoir.

La Cité-État avait des remparts, comme les châteaux des

murs. Il est même un empire, la Chine, qui eut l'idée de construire un mur monumental. Pour vaincre la peur, nous rentrons à l'intérieur des murs et relevons le pont-levis. Barrons les portes ! Le monde moderne est de plus en plus obsédé de sécurité et nous avons plus peur que jamais. Nous avons même peur du calme, de la paix. Tout cela est devenu une industrie, un champ économique : l'industrie de la protection, de l'assurance, de la surveillance. Nous sommes une clientèle désespérée et nous payons nos primes. Cela s'appelle justement une « couverture ». Comme Linus, le petit personnage de *Charlie Brown*, nous avons tous besoin d'une doudou.

J'ai toujours eu une peur bleue de l'avion, mais je me suis embarqué des centaines de fois par tous les temps et j'ai volé dans tous les types d'appareils imaginables. Jeune, j'avais peur de parler en public et je suis devenu un parleur compulsif professionnel. J'avais peur des rondelles et j'ai été gardien de but. J'ai toujours eu peur de la page blanche et je suis devenu écrivain. J'ai eu peur de la vie et j'ai beaucoup vécu.

Finalement alliée, finalement amie, durant la longueur de toute une vie, la peur aura toujours été notre fidèle compagne. Elle s'envolera avec notre âme. Car, soyons-en assurés, les morts n'ont plus peur du noir, ils n'ont plus peur de vivre, encore moins de mourir.

Permis de douter

Il faut voir un animal sauvage, un chevreuil ou un ours, s'approcher d'une chose inconnue : il avance, il recule, il fixe, il fige, comme s'il réfléchissait, il penche la tête, la relève, regarde à gauche puis à droite, fait un pas en avant, deux de côté, toujours prêt au retrait, sur ses gardes, à l'affût du moindre mouvement, en un mot, hésitant. Il s'agit là d'un comportement de survie, et il est certain que l'animal le plus prudent sera celui qui vivra le plus longtemps. Il remplit en quelque sorte le contrat de la vie, qui est un contrat de précaution. À force d'étudier le danger, l'animal apprend. Sa prudence confirme que le doute est de la famille de l'intelligence, tandis que la certitude appartient à une forme plus ou moins grave de bêtise.

Bien sûr, ne jamais se poser de questions dans la vie représente une forme de tranquillité ; il est connu que la bêtise rend son homme heureux, le temps que cela dure. Ignorer le danger nous dispense de réfléchir. Il serait en effet plus facile au chevreuil de faire comme si le prédateur n'existait pas. Ainsi, il ne passerait pas son temps à se demander ce qui le menace. Par contre, le chevreuil trop sûr de lui traverse l'autoroute la nuit sans se demander une seconde quelle est cette lumière qui se déplace à grand bruit et fonce vers lui à plus de cent kilomètres à l'heure. Dans sa bête certitude, il risque même de trouver ça beau. Ce sera pourtant sa dernière impression de beauté. Et la mère chevreuil de soupirer : je lui avais pourtant bien dit de ne jamais regarder un camion dans les yeux !

L'autre jour, je roulais sur la 364, une petite route très sinueuse, parfois montueuse, quelquefois dangereuse, qui traverse les collines laurentiennes entre Saint-Sauveur et Huberdeau. La journée d'automne était magnifique et la tribu des motocyclistes faisait pour l'occasion un tour de piste, comme elle le fait chaque année, histoire de promener les engins une dernière fois avant les neiges. Bref, il y avait des centaines de motos dans les deux sens de la route. En descendant la grande côte du lac des Seize Îles, j'ai aperçu des gyrophares, un attroupement, deux ambulances, une quarantaine de motocyclistes arrêtés sur les accotements. Dans la courbe, en bas, juste en face du petit cimetière du village, un des leurs avait perdu le contrôle dans le tournant, pour se retrouver dans le bois. Ils étaient deux, inconscients, étendus sur le sol. L'accident était grave. Je me dis : voilà de quoi semer le doute dans la tête de tous ces motocyclistes qui regardent deux des leurs tombés au combat et qui, forcément, compatissent. Cela fait réfléchir. Une belle journée d'automne peut rapidement se changer en cauchemar pour qui ne voit pas venir la pente raide, la courbe serrée, la possibilité de déraper. Ce pauvre adepte de la moto n'a rien vu venir, il ne s'est pas méfié, il était certain de son fait.

Une fois passé le petit bouchon provoqué par le drame, j'ai repris la route, traversé le village, puis je me suis engagé dans les courbes encore plus prononcées devant moi, songeant au destin, aux dangers, à la vie. J'ai été rapidement rattrapé par une moto conduite par un adolescent, avec sa copine à califourchon sur la machine. Tous les deux bien en selle, ils me collaient au train comme si j'étais le dernier des « mononcles ». Puis le jeune homme décide de me doubler dans une courbe, sautant une double ligne, fonçant à pleine

vitesse vers la prochaine chicane. Je me dis : voilà de l'ignorance crasse fort bien entretenue. Ce jeune vient de voir
comme moi l'accident et les accidentés. Mais il file comme
si de rien n'était, encore plus vite, à la limite de l'équilibre et
de l'adhérence, et il entraîne sa blonde dans ce tournoi.
Quelle assurance ! Quelle certitude ! Quelle confiance en
soi ! Il est sûr que l'accident de l'autre ne sera jamais le sien,
puisque lui est certain de son fait. Il ne doute pas une
seconde de sa virtuosité et de sa maîtrise. Il ignore ce danger
qui ne le concerne en rien. Il passe à cent à l'heure devant les
petites croix et les petits bouquets de fleurs en plastique
accrochés aux glissières de la route, là où sont morts d'autres
jeunes trop sûrs d'eux, commémorations sinistres de la
bêtise humaine.

Il faut croire, et le dire à nos enfants, que le permis de
conduire est d'abord un permis de douter, douter des
autres, douter de soi, douter de ses freins, de l'asphalte, de
ses pneus, de sa vitesse, puis rouler quand même en ayant
conscience des risques. Le doute est une source d'apprentis-
sage. Tandis que l'ignorance du danger est de l'ignorance
tout court, et que celle-là ne nous enseigne rien. Exactement
comme le chevreuil dans la nuit... le bond innocent de la
bête qui n'a rien vu venir.

*   *   *

Oui, il y a de quoi se poser des questions. Savons-nous
ce qui nous attend ? Passerons-nous l'hiver ? Les Canadiens
feront-ils les séries éliminatoires ? Le ciel nous tombera-t-il
sur la tête ? Les versions officielles sont-elles des vérités ou
ne seraient-elles pas plutôt des versions officielles ? La fac-
ture d'Hydro-Québec est-elle vraiment conforme à notre
consommation d'électricité ? Dieu existe-t-il ? Et tant qu'à
y être, les flammes de l'enfer sont-elles réelles ou ne sont-

elles qu'une image inventée pour effrayer le monde ? Les médicaments causent-ils plus d'effets secondaires maléfiques que d'effets primaires bénéfiques ? Est-il vrai que les pipelines sont absolument sécuritaires ? Que l'eau traitée est vraiment propre ? Est-il certain que les Canadiens et les Canadiennes ne se préoccupent que de création d'emplois et de baisses d'impôts ? Vivons-nous vraiment plus vieux aujourd'hui qu'autrefois ? Sommes-nous scandaleusement riches ? Sommes-nous une société pauvre ? Y a-t-il vraiment des coupes à Radio-Canada ou bien s'agit-il d'une faiblesse chronique de la cote d'écoute qui justifie le désinvestissement de l'État ? Faut-il obligatoirement réduire les dépenses en éducation ? Les programmes scolaires sont-ils parfaitement conformes à la mission de l'école ? L'État contrôle-t-il vraiment tous les postes de dépense du trésor public ? Est-il vrai que les colibris voyagent sur le dos des outardes pour aller dans le sud en hiver ? Est-ce vrai que les bananes mûres font pourrir les autres fruits dans le plateau ? Est-ce vrai que déverser huit milliards de litres d'eaux d'égout directement dans le fleuve pendant sept jours aura peu d'impacts sur notre environnement ?

Les années passent et l'ombre de mes doutes ne cesse de grandir. Ce beau temps va-t-il durer ? M'aimes-tu ? M'aimes-tu vraiment ? Être ou ne pas être, voilà la question ! Louis Riel était-il fou ? Suis-je protégé contre la foudre ? Je vote pour ce menteur ou pour ce fabulateur ? Va-t-on vaincre le vieillissement avant que je devienne vieux ? Le chou frisé est-il vraiment efficace pour prévenir le cancer ? Est-il vrai que les hommes chauves ont plus d'attributs virils que la moyenne ? Qui sommes-nous ? La présidence d'Obama a-t-elle été exceptionnelle sur le plan de l'économie, ou bien catastrophique ? Dans un monde où tout se dit et son contraire, où les études scientifiques sont des arguments de vente, où les intérêts corporatistes priment sur tout, que croire, qui croire, comment croire? Même quand nous avions Dieu, nous avions des crises de foi, nous doutions. Imaginez aujourd'hui. Est-il vrai que nous sommes incapables de développer un moteur qui ne fonctionne pas au pétrole? Doit-on croire qu'il est absolument impossible de pénaliser les gens et les entreprises qui pratiquent l'évasion fiscale? Nos enfants profitent-ils de la révolution numérique? Un chauve qui mange du chou frisé peut-il vaincre le vieillissement? Qui a tué John F. Kennedy?

Heureux celui qui ne doute de rien. Car justement, celui qui ne doute de rien ne *se* doute de rien. Il va sans peur, assuré de sa belle assurance. L'être certain de son fait ne posera jamais de questions, car il ne *se* pose pas de questions. Le monde est comme on le dit, comme on le chiffre, comme on le rapporte. Je ne doute pas de ce que je vois. Je ne doute même pas de l'intangible et de l'invisible. L'absence de doute conduit au simplisme, à l'imprudence de l'esprit, tandis que le génie du doute consiste à survivre aux pièges des apparences et au régime des idées toutes faites. Disons ceci : le doute est inhérent à la pensée. Il est notre arme intellectuelle en face de la complexité. Il est notre défense en face de la mauvaise foi des baratineurs politiques et historiques. Le doute raisonnable est sain, il doit être cultivé.

Le doute déraisonnable, par contre, se transforme en maladie. Car, à force de douter de tout, il devient possible de ne plus croire à rien, de ne plus prêter foi à rien, hormis à une théorie universelle des complots en tous genres. Ce doute malade est en fait une certitude à l'envers. Je suis certain que les Américains ne sont jamais allés sur la Lune. C'est la CIA qui a orchestré le 11 Septembre, le président Obama est musulman : rien n'arrête les sceptiques compulsifs. Il y a un shérif en Oregon qui croit que les tueries dans les écoles américaines sont organisées par les ennemis de la National Rifle Association.

Il vient un point où le doute n'est plus possible et où une grande certitude s'impose : cela existe, la pauvreté intellectuelle.

Comment ça va ?

Je vous dirais bien la vérité, mais cela dépend de tellement de choses. L'autre jour, devant un beau public venu assister à une causerie, Catherine Voyer-Léger me demandait en ouverture d'entrevue : « Comment ça va, monsieur Bouchard ? » Je lui ai répondu à peu près ceci qui allait donner le ton à nos échanges : demander à quelqu'un « comment ça va » est une grande question qui nous pousse dans nos derniers retranchements. Il est vrai que nous la posons souvent, cette question banale, tellement souvent que ce n'est plus une question, c'est un code de reconnaissance. Mais s'il fallait prendre la demande au pied de la lettre, la réponse risquerait de surprendre. Vous voulez vraiment savoir comment ça va ? Je peux me débarrasser de la convention et répondre tout simplement : « Ça va bien, merci, et vous ? » Mais je peux aussi dire : « Ça ne va pas bien du tout », auquel cas vous allez devoir poursuivre la conversation dans un sens inattendu. « Qu'est-ce qui ne va pas ? » se dit déjà sur un autre ton et annonce un échange plus soutenu. Mais je pourrais encore répondre, ce qui serait le pire des cas : « Vous voulez vraiment le savoir, vous tenez vraiment à savoir comment je vais ? Alors, prenez un siège, je vais vous raconter. » Pour dire vrai, cela est toujours long, car cela prend beaucoup de temps à s'exprimer, une vérité. Mais personne ne s'aventure en ces terrains mouvants, personne n'exprime spontanément une quelconque vérité quant à ses états d'âme, surtout lorsqu'on le lui demande en passant. Nous sautons au raccourci et nous répondons : « Ça va très bien. » Nous le disons même si nous souffrons de quelque chose, même si nous n'allons pas bien. Le « ça va bien » est certainement le mensonge le plus répandu qui soit.

Selon les impératifs de la morale la plus stricte, répondre « ça va bien » sans réfléchir est en quelque sorte un mensonge que l'on se fait à soi-même autant qu'à l'autre. Je dis « ça va » pour ne pas avoir à dire l'entière vérité à propos de mon état. C'est comme le fameux et parfois agaçant « *good morning* » des Anglais : lancé à tout moment, ce petit chant est une arme redoutable, il pourrait signifier « *fuck you all* » que ce serait la même chose. Nous avons de ces codes sonores qui trompent énormément mais qui semblent nécessaires pour maintenir la vie en société. Tout est filtré, car la lumière crue de la vérité risquerait de brûler nos sensibilités. D'ailleurs, Gorki était d'avis que le mensonge explique mieux que la vérité ce qui se passe dans l'âme de l'humain.

Serait-il possible que nous parlions comme les oiseaux chantent, pour impressionner, pour exister, pour faire connaître notre présence, pour marquer le coup de notre existence ? Nous parlerions pour attirer les autres et nous parlerions encore pour les repousser. Belles paroles, paroles menaçantes. La parole serait le chant de l'humain comme le croassement est celui de la corneille. Cette remarque est loin d'être fausse. Cependant, lorsque le lion rugit, se demande-t-on s'il rugit la vérité ? Dit-on de l'éléphant qu'il barrit des mensonges ? Le philosophe ne ferait jamais de pareilles associations parce qu'il est vite sur la gâchette : les animaux n'ont pas conscience du vrai ou du faux. Seul l'humain porte le poids de sa conscience.

Qui parle ment. Qui ne dit mot consent. Nous sommes empêtrés dans nos propres proverbes. Le vrai et le faux se confondent en un jeu consenti. Car en somme, la vraie affaire ne tourne pas autour de la vérité et du mensonge ; la vraie affaire est de dire ou d'entendre les mots que nous voulons dire et entendre, au moment où nous voulons les dire et les entendre. L'humain est un être de contextes. Nous savons tous que la vérité peut tuer, qu'elle peut blesser gravement, parfois irrémédiablement. De son côté, le mensonge peut consoler, il peut rassurer. Ou vice-versa, tout est selon. Nous sommes donc loin du simple oui, du simple non. Ce serait trop facile s'il suffisait de toujours dire la vérité pour acheter son passage au tribunal de la bonne conscience. Il est faux de soutenir qu'il faut absolument qu'une porte soit ouverte ou fermée. Des portes ouvertes sont parfois de grands symboles de fermeture, comme lorsqu'un patron vous dit que sa porte est toujours ouverte, ce qui en vérité signifie : « Cause toujours, mon bonhomme, je suis fermé comme une huître. » À l'inverse, nous le savons, des portes fermées sont de grandes invites à l'ouverture. Elles sont fermées pour mieux être ouvertes. Considérant ces inversions créatives, imaginez ce qui vous attend lorsque vous entrerez au pays des portes entrouvertes. Il faudra déchiffrer chacune d'entre elles, reconnaître les pièges, aller au-delà des apparences.

Il est si facile de diaboliser le mensonge et d'y voir le visage de Satan. Mais a-t-il menti, celui qui n'a rien dit ? Le silence est parfois coupable, il est souvent honorable, il en dit plus qu'on ne le croit. Le silence dit tout, y compris ce qui est indicible. A-t-il parlé, celui qui a menti ? Ou a-t-il seulement avoué n'importe quoi pour acheter la paix ? A-t-il dit la vérité, celui qui a parlé ? Comment le savoir ? Déjà que le chant de la baleine est difficile à déchiffrer, imaginez la complexité d'une seule phrase humaine.

Alors, comment allez-vous, mes chers amis ? Naguère, j'ai écrit à propos du mensonge à peu près ceci : mentons, mentons, nous finirons bien par dire un jour ou l'autre une quelconque vérité. Sans même nous en apercevoir.

L'immensité de l'à-peu-près

Je t'aime plus gros que le soleil, dis-je à ma petite fille. Je t'aime plus gros que dix soleils, me répond-elle. Et ainsi va la surenchère. Plus que la galaxie ? Que le cosmos ? Plus que tout ce qui existe, multiplié par dix ? Cela fait beaucoup. Voilà bien les approximations les plus imagées de combien gros peuvent être nos amours. La précision n'a pas sa place dans le vaste univers des sentiments. L'amour s'image, il ne se mesure pas exactement, et encore moins la douleur, l'amitié, la souffrance psychique, le plaisir artistique, le bonheur en général, le bonheur en particulier, la joie, le cœur à l'ouvrage, le savoir-être, le savoir-vivre. Ces intensités n'ont pas d'échelle, elles échappent au pointage et à la logique des concepts. Quand, à l'hôpital, on me demande combien je souffre sur une échelle de 10, je comprends l'intention, mais je ne sais jamais quoi répondre. À 1 je marmonne, à 10 je hurle, à 12 je voudrais mourir ? Et peut-être que ton 10 est mon 7, et que ton 8 est mon 3 ?

Blaise Pascal s'inquiète : il sait qu'il existe un nombre infini, mais il ne sait pas si ce nombre est pair ou impair. Le budget annuel des États-Unis est de quatre mille sept cent vingt-deux milliards six cent cinquante-trois millions quatre cent quarante mille trois cent trente-sept dollars et quarante-deux sous ! Personne de raisonnable ne pourrait croire que ce chiffre est exact, en fait il ne l'est pas du tout, mais ce flou est suffisant pour que quelqu'un prétende tenir les cordons de la bourse. En matière de très très grosses sommes d'argent, on nage toujours dans le flou. La fortune de Donald Trump varie entre six cents millions de dollars pour fins d'impôt et six milliards de dollars pour fins d'emprunt. Dans un monde flou peuplé de filous, on n'arrête pas de mentir avec précision. Il faut mettre de l'ordre dans le désordre et il se trouvera toujours quelqu'un pour faire semblant de diriger la parade.

Il est vrai qu'il y a 1 080 kilomètres entre Montréal et Mingan, 1 079,7 exactement. Par la route 138, j'ai fait ce trajet un très grand nombre de fois. La distance ne varie pas, 2 160 kilomètres aller-retour, des heures et des heures de route. Toutefois, dans mes souvenirs, aucun de ces voyages n'a été pareil à un autre. À ce chiffre précis qui établit l'écart entre deux points, ajoutons les vents et la neige, les poudreries et la glace noire, le brouillard, les orages, le froid. Calculons le nombre de mouches noires écrapouties sur le pare-brise en été, songeons aux états d'âme, aux crevaisons de corps et de pneus, distinguons le voyage triste, disons pour aller à l'enterrement d'un grand ami, du voyage joyeux, celui du printemps et de la renaissance, le voyage de nuit du voyage de jour. Dans mon âme et conscience, certains trajets ont été interminables, d'autres ont passé beaucoup trop vite, allez savoir pourquoi. Les kilomètres au compteur ne disent rien de chaque kilomètre, celui où je pleurais dans l'intimité de l'habitacle, celui où je souriais aux arbres le long de la route, celui où je tombais de sommeil, et cet autre où j'ai eu une riche idée.

En vérité, le flou est l'authentique fil de l'intervalle. « C'est l'immensité de l'à-peu-près qui justement m'attire, c'est la richesse du quasiment qui retient toute mon attention. » Voilà ce que j'écrivais aux sixième et septième lignes du premier livre que j'ai publié, *Le Moineau domestique,* en 1991. Combien de lignes ai-je écrites depuis ? Beaucoup, je crois, des livres et des livres, des mots et des mots. Il y a là-dedans un je-ne-sais-quoi et un presque-rien qui me sont tout à fait familiers. Jankélévitch ne croit pas que « ce qui se conçoit bien s'énonce clairement ». Il croit plutôt que le langage sert essentiellement à brouiller le sens des mots, des phrases et des messages. Car si tout était si clair, et si « les mots pour le dire nous venaient si aisément », il est évident que nous n'aurions, depuis longtemps, plus rien à ajouter.

Le rêve flou des Taïnos

Il faut imaginer le paradis terrestre. Des palmiers, des man-guiers, des fleurs, des perroquets, du soleil, de la chaleur et de la paix. Les Taïnos, de tradition arawak, profitaient plei-nement du pays : des fruits en abondance, qu'ils n'avaient qu'à cueillir, des petits jardins, de la viande provenant de gibiers faciles à chasser, du poisson, du miel. Ils avaient plus de hamacs que de maisons, ils marchaient le long de plages magnifiques, sur des rivages au sable blanc bordant une mer turquoise à l'eau cristalline ; ils se promenaient sans vête-ments, bénis par un climat doux à longueur d'année. Sur l'île de Guanahari, ils allaient sans armes, ils avaient peu ou pas d'ennemis, sinon les Caribes, dont les légendes rappor-taient les horreurs cannibales. Ce furent peut-être les plus heureux des hommes, ces hommes nus, les habitants d'un paradis éternel. Pourtant, ces tranquilles Taïnos avaient peur de quelque chose : le futur. Un de leurs mythes disait qu'un jour, en provenance de la mer, viendraient des gens vêtus de riches habits. Au début, on verrait des ombres et des silhouettes divines : ces fantômes allaient détruire les humains nus, s'emparant de leurs terres, de leurs femmes, de leurs corps.

Les mythologies de l'Amérique originale étaient magni-fiques et efficaces. Des Guayaquis aux Bororos, des Nam-bikwaras aux Jivaros, des Mayas-Quichés aux Cuivas-

Mahomes, des Aztèques aux Incas des Andes, peuples quéchuas, peuples nahuatl, Navahos du désert, Natchez du Mississippi, Utes des Rocheuses, Algonquiens des forêts du Nord, Iroquoiens des forêts laurentiennes, Inuits de la toundra, Kakwakakwas et Haïdas du Pacifique, Siksikwas et Lakotas des plaines, le monde s'expliquait, se racontait et se transmettait de génération en génération. Pourquoi le corbeau est-il noir, sage et vieux, pourquoi le cardinal porte-t-il de si belles couleurs, pourquoi le coyote se faufile-t-il tel un voleur, la queue basse, le regard oblique, pourquoi l'ours se déhanche-t-il en marchant, pourquoi l'humain a-t-il des os flexibles, pourquoi l'aigle, le serpent et la haine ? Tout est là, y compris ce mythe aztèque qui dit que Quetzalcoalt, le dieu rejeté par Huizilipotcli, reviendra un jour du côté de la mer océane, plein de voiles et de plumes, pour se venger. Et ce sera la fin de Tenochtitlan (Mexico), le royaume aztèque.

Lorsqu'un bébé meurt, son âme se réfugie dans les fleurs. Le colibri la recueille dans son bec et l'emmène au paradis tranquille des jeunes âmes sucrées. Nul ne sait où se trouve ce paradis. Personne ne l'a jamais trouvé. De la même manière, les Anishinabés croyaient que les bouleaux blancs représentaient l'âme d'une belle Algonquine enterrée jadis par son amoureux sur le coteau ensoleillé d'une colline laurentienne, emmaillotée d'une robe cousue de riches fourrures de blanches hermines. Et rien n'arrête ce discours poétique : pourquoi l'été, pourquoi l'hiver, pourquoi la lune, les lacs, les vallées, quelle est la langue parlée par les arbres, et que vient faire le carcajou dans ce théâtre universel ? Les langages organisent le monde, les mythes, le récit ; l'iroquoien n'est pas l'algonquien, le lakota n'est pas le wakashane, le caddoan n'est pas le comanche. Toutefois, les multiples visions du monde se rejoignaient en un concert de poésie sauvage, donnant voix aux animaux,

aux arbres et aux esprits. Le téotéo quechua traduit le manitou algonquien.

La beauté du monde est floue, car ses contours sont mystérieux. Ce sont les vérités absolues qui viendront détruire le charme de ce monde mythique. La révélation chrétienne tuera les balivernes païennes. Dieu a la clarté du Saint-Esprit, la blancheur de la colombe, la lumière de la Foi. La science et la technologie feront le reste, elles trouveront toutes les causes objectives, avec rigueur et platitude. Les explications tranchantes et les discours pointus effaceront tout le flou artistique de la pensée sauvage. Le paradis terrestre deviendra un paradis fiscal où la pensée comptable calculera précisément les profits et les pertes. Et les Mayas, avec leur dieu Maïs, pourront aller se rhabiller, c'est le cas de le dire. Ils deviendront les domestiques et les laquais des gens venus d'ailleurs, des Blancs aux beaux habits, comme la prédiction ancienne l'avait annoncé. Au Yucatan, à l'ombre du temple pyramidal de Chichén Itzá, ils feront le ménage dans les chambres d'hôtel. Comme quoi le flou de leurs mythes anciens était beaucoup plus clair qu'on le pense.

* * *

« L'homme est un loup pour l'homme » : cette expression est offensante pour le loup. S'il est un animal qui n'a rien à voir avec l'homme, c'est bien le loup. En général, lorsqu'une meute tue un gros orignal, elle se réunit autour de la carcasse et mange en famille. Durant le repas ou juste après, les loups ne tiennent pas conseil pour étudier l'idée que la prochaine fois, il faudrait tuer cent orignaux pour vraiment se satisfaire et mieux se réaliser en tant que loups. Non. Repus de la bonne viande de leur proie, ils vont faire une sieste bien à l'abri, sous une jupe d'épinette.

L'autre jour, je donnais une visioconférence devant un public de sept cents personnes, gracieuseté de Zoom. J'étais en compagnie de Richard Kistabish, un Anishinabe de renom que je connais depuis des lunes. Ensemble, nous avons parlé pendant trois heures devant cette grande assemblée. Richard est un sage, je dirais : un jongleur, un *trickster*, ce qui d'ailleurs est la signification de son nom. Durant la conférence, il s'est lancé dans une diatribe aussi touchante que révélatrice. En haussant à peine le ton, il a dit ceci que je reproduis dans mes mots :

« Pendant neuf mille ans, nous avons vécu ici, dans ce pays. Pendant neuf mille ans, nous avons protégé ce joyau, nous avons gardé ce trésor. On pouvait boire à même l'eau de la rivière, du lac. La forêt était vaste et intacte, les animaux sauvages avaient toute la place nécessaire pour se reproduire, heureux. Nous avions l'intelligence de notre terre, nous en avions toutes les compétences. Nous étions attachés à chacun des arbres de la forêt. Nous parlions aux animaux. Cela fait beaucoup d'attachement. Une branche cassait et nous le savions. Pendant neuf mille ans, nous avons fait de beaux enfants, nous avions des familles, nous avions notre langue, notre savoir, notre foi et notre spiritualité. Puis vous êtes venus, avec vos idées de progrès sous le bras. En l'espace de cent ans, de cent petites années, vous avez détruit les paysages millénaires que nous avions si bien protégés, vous avez coupé à blanc la forêt sacrée. En seulement cent ans, vous avez volé nos enfants pour les maltraiter dans les pensionnats indiens, vous avez tué nos savoirs, vous nous avez enfermés dans des réserves, vous avez pollué tous les cours d'eau. La beauté a disparu, car nous étions beaux, aussi beaux que la nature pouvait être belle. Je dirais même que nous étions parfaits et que nous vivions au paradis, sans virus, sans maladie. Comment réparer aujourd'hui les dommages catastrophiques faits à la nature par ce maudit progrès ? Nous, les Indiens, nous étions des conservateurs de la beauté. Vous, les gens de progrès, vous ne pensez qu'à la détruire. Dans ma vie, autour de moi, tout est laid. »

Discours naïf, manichéen ? Bien sûr que non. La présentation de Richard Kistabish a la valeur d'une fable, c'est une fresque métaphorique, qui dépasse largement la question autochtone, celle du bon Indien ou du mauvais Indien. C'est un plaidoyer contre la croissance démente, contre l'avidité, contre la dévastation du monde naturel et sauvage. Richard le Jongleur s'adressait à un public québécois et international, il y avait là des centaines de personnes à l'écran, des Belges, des Suisses, des Français, des Tunisiens, des Libanais, des Russes. Je ne suis certainement pas le seul à avoir été ébranlé par son discours. La leçon de Kistabish vaut bien celles de plusieurs grands philosophes. Il nous dit que le sauvage est beau. Nous aurions besoin aujourd'hui, mal pris comme nous le sommes, de plus de pensées sauvages, de plus d'espaces sauvages, d'une bonne dose de liberté sauvage. Ne dites jamais « capitalisme sauvage », car cela est une insulte pour le sauvage. Sachons que le capitalisme est démesurément civilisé.

Un navire de guerre nommé *Le Poli*

Pierre Lemoyne d'Iberville aurait certainement pu écrire des livres ironiques, voire franchement drôles, à propos de quelques belles incohérences qui ont coloré sa vie de marin. Il fut un grand navigateur, un pirate d'exception, un corsaire magnifique, un brigand de légende, un gredin, un vilain, bref, un méchant ; avec lui, nous avons affaire à un personnage qui dépasse l'imagination historique, une imagination qui est chez nous notoirement chétive. Une chose est sûre, Pierre Lemoyne était un dur de dur.

Il est connu pour avoir commandé *Le Pélican*, un beau voilier de guerre à bord duquel il gagna une bataille mythique contre les Anglais à la baie d'Hudson. Les Anglais en souffrirent beaucoup. *Le Soleil d'Afrique* fut un autre voilier qui fit quelques fois le voyage à la baie d'Hudson sous la gouverne du redoutable d'Iberville. Cela ne s'invente pas, un *Soleil d'Afrique* dans les brumes glaciales du Subarctique. Cependant, un des bateaux de notre pirate national, celui qui semait la terreur dans les eaux froides et tumultueuses de la baie d'Hudson, un voilier dont la seule vue mettait en panique l'ensemble des Anglais placés devant leur terrible destin, s'appelait simplement *Le Poli*. Or, selon tout ce que nous pouvons en savoir, Pierre Lemoyne, dont le travail consistait à insulter l'Anglais et à le détrousser, n'était pas l'homme le plus gentil du monde. Par quel détour sémantique la marine française en est-elle venue à baptiser un de ses navires de guerre *Le Poli,* nul ne le sait. Mais il faut croire que la politesse faisait partie du jeu.

Il me vient une autre image de politesse curieuse : le personnage de l'officier allemand de la SS dans *Inglourious Basterds* de Quentin Tarantino. Voilà un homme cultivé, vêtu d'un uniforme propre et impeccable, qui pouvait vous envoyer au peloton d'exécution avec un beau sourire en respectant le code de la politesse aristocratique. Dans la cruauté, il allait jusqu'au bout du rouleau de la comédie, capable de vous regarder dans les yeux avec ses belles paroles, tel un bourreau sadique.

C'est que la politesse est une comédie. Nous sommes entre nous comme sur une scène de théâtre, où il existe des répliques incontournables, des formules toutes faites, des mots convenus. C'est pourquoi la politesse n'est pas toujours la gentillesse, elle n'est pas d'emblée la délicatesse. La politesse est plutôt l'enveloppe froide qui cache les intentions les plus diverses. Elle ne dit rien d'autre que cette propension humaine à y mettre la forme et les manières. Voilà le plus beau des masques, celui qui cache notre vrai visage. C'est l'euphémisme fatal. Les bonnes manières font de nous des maniérés.

Le Poli était un navire de guerre. Son nom était un faux-semblant, ç'aurait pu être *La Terreur,* mais c'eût été trop clair. Autrement dit, le combinard est toujours poli. Sous ses pelures de politesse, il accumule les couches de vernis. Il sera d'autant plus couvert qu'il a quelque chose à cacher. Méfiez-vous des mielleux et des obséquieux. Méfiez-vous des formules et des belles paroles. Méfiez-vous des convenances. Au contraire du fieffé conservateur des convenances, le vrai rebelle est carrément impoli. Il traverse la scène à découvert, tout nu, et il crie : « Bas les masques ! *Finita la commedia !* »

La politesse a aussi, et par-dessus tout, des accointances avec la peur. Les expressions « Soyez polis ! Restons polis ! » sont des impératifs. Nous avons peur des impolitesses qui brisent les digues et les masques. Sans la déesse Politesse, l'immense mascarade qu'est la vie sociale se métamorphoserait soudain en arène de luttes anarchiques où les jurons le disputeraient à l'insulte et où chacun hurlerait sa vérité. La société est un mensonge sur lequel tous ont choisi de s'accorder. C'est au nom de cet accord convenu et de ce mensonge accepté que les rôles sont distribués et que les réparties sont déterminées à l'avance. Le mieux, finalement, est de ne jamais sortir de son texte.

Pierre Lemoyne, le commandant du *Poli*, était un homme rusé, habité d'une étrange politesse, celle qui se situe entre les convenances et la créativité. Il écrivait lui-même, sans manières et sans façons, le rôle audacieux qu'il entendait jouer.

On n'a plus les ours qu'on avait

Les animaux des réseaux sociaux sont des créatures exceptionnelles. Les chats sont devenus de grandes vedettes, et que serait Facebook sans les chats ? Mais ils ne sont pas les seuls. Voilà cet ours brun qui passe sa vie dans un enclos avec un tigre et un lion ; les trois bêtes appartenaient à un méchant qui les maltraitait, elles ont été récupérées par de bonnes âmes, et voilà qu'elles sont devenues inséparables. Ce chevreuil qui s'amuse avec un lapin, ces trois daims albinos qui mangent des feuilles sur la pelouse d'un terrain privé au Wisconsin, cet orang-outang qui s'est pris d'affection pour des petits tigres, cet orignal qui s'amourache d'une *hikeuse,* ce dauphin qui s'est lié d'amitié avec un chien, cet ours noir qui s'est brisé une patte avant et qui marche debout, comme un curé lourdaud, et je ne dis rien de ces multiples sauveurs venant au secours du lynx qui s'est pris la patte dans un piège, de la vache qui s'est coincé la tête entre deux branches d'arbre, des deux wapitis qui ont entremêlé leurs panaches, de la tortue prise dans un filet de pêche, de la mouffette qui s'est enfoncé la tête dans une canette de coke, de l'ourson tombé au fond d'une poubelle et que sa mère appelle, des petits canards dans le puisard, de ces louveteaux désespérés qui hurlent au beau milieu du chemin de gravelle, du kangourou qui se fait gratter le ventre par une jeune femme et qui en redemande, de l'hippocampe qui accouche de millions de petits hippocampes, des ânes qui pleurent leur ami décédé, je n'invente rien. Il y a jusqu'à ces téléréalités où l'on voit des éperviers élever une famille d'éperviers, avec des caméras cachées qui filment le nid et de nuit et de jour, pendant des nuits et des jours. Les loups ont des colliers, les outardes ont des bagues, d'autres des bracelets, les baleines ont des puces. Dans les bois les plus sauvages, des caméras dissimulées dans les arbres tournent, surveillent, enregistrent. Voilà cet ours qui vient manger des pommes à trois heures du matin. Franchement, il y a des caméras partout, des iPhone qui prennent des clichés ou tournent des vidéos, une orque épaulard ne peut plus venir respirer en paix à la surface car il y aura une caméra braquée sur elle. Même l'aigle a une *webcam* attachée sur le dessus de la tête. On va finir par savoir ce qui se cache dans le cul d'un ours noir.

L'animal sauvage n'a plus aucun refuge où cacher son intimité. Des drones peuvent survoler les grandes migrations. Nous filmons au plus profond des océans, nous filmons la jungle durant la nuit quand les hyènes se font rabrouer par des lions qui se font eux-mêmes bousculer par des buffles. Les documentaristes adorent donner des noms à leurs vedettes animales. Voici Bobby, le petit chimpanzé, qui tente de se faire accepter dans une bande dirigée par le méchant Terry, le vieux chimpanzé sans cœur, mais Bobby retrouvera sa sœur, Cherry, qui le protégera contre les intimidateurs, les pluies tropicales, les bandes rivales, les braconniers et ainsi de suite.

Le nouveau bestiaire des années 2000 est un bestiaire modifié. L'humain ne vit plus dans le monde des animaux, au pays des loups et des ours. Ce sont les animaux qui vivent désormais dans l'œil implacable de l'humain. C'est le coyote qui devient urbain. C'est le faucon pèlerin qui niche dans les gratte-ciel. Mais c'est aussi la nature qui est dramatisée pour plaire aux consommateurs d'intrigues modernes. Le chant d'amour de l'anguille dans les Sargasses, la lionne édentée qui se meurt, repliée dans son trou de poussière, la baleine qui se suicide en s'échouant sur la côte, l'ours polaire amaigri qui nage dans l'immensité d'une mer qui devrait être une banquise, le bébé zèbre qui essaie de réveiller sa mère morte dans la savane, exposé aux prédateurs qui ne tarderont pas à arriver, le fameux bousier qui roule une crotte plus grosse que lui : l'animal interpelle l'humain constamment. L'humain est partout, il nage avec le requin, il veut un *selfie* avec la baleine, il s'expose à tous les dangers pour filmer les amours des loups et des louves, il s'intègre à la vie des crocodiles, et les documentaires sont des fictions inventées où l'on met de l'avant le courage du documentariste et la dangerosité de ses rapprochements avec des bêtes féroces. Un kodiak n'est plus un kodiak, c'est un ours de mille quatre cents livres avec lequel je fais des vidéos à mettre en ligne, où la bête m'enlace, m'embrasse et s'amuse avec moi sans jamais avoir l'idée saine et normale de me tuer et de me manger. Non, on n'a plus les ours qu'on avait.

* * *

Dans un monde où de vrais lions sauvages se prélassent et s'endorment devant des jeeps remplies de touristes et où des hippopotames bâillent devant des files d'autobus bondés de photographes instagrammatiques, on se demande où se retrouve désormais la vraie nature des choses. Sont-ce de faux lions, ceux qui posent pour la foule en adoptant la posture attendue ? Et ces gens qui aujourd'hui s'en vont photographier leurs girafes, leurs buffles et leurs antilopes dans les sentiers courus d'une Afrique idéalisée iront demain, cellulaire en main, prendre une photo des manchots de l'Antarctique. Qu'est devenu l'inaccessible Everest, dénaturé par des centaines d'expéditions, si bien que des bouchons d'aventuriers se forment sur ses flancs, telle une colonne de fourmis dont chacune doit prendre un ticket pour avoir à son tour le droit de monter au sommet de la plus haute montagne de la planète ? Le monde est un grand parc d'attractions, un véritable Walt Disney World. La vérité sort de la bouche de Mickey Mouse.

Il y a une cinquantaine d'années, la prestigieuse équipe du commandant Cousteau réalisa un documentaire sur le fleuve Saint-Laurent. Le film s'ouvrait sur une longue séquence dans laquelle on voyait la *Calypso,* le célèbre bateau du commandant, mouiller au large de la Côte-Nord. Un peu comme Jacques Cartier arrivant au Canada, Cousteau quitte son beau navire, il s'approche de la rive dans une chaloupe à moteur, il atteint la plage où les « Indiens de la tribu des Mingan » l'accueillent à bras ouverts et l'invitent à festoyer sur le sable, comme les Indiens ont coutume de le faire à l'occasion de l'arrivée des grands explorateurs. Cousteau mange de la nourriture du pays, de l'orignal et de l'outarde, il boit du thé du Labrador, il découvre en une conversation intense l'âme des Indiens d'Amérique : c'est l'ouverture idyllique pour un film sur le Canada.

Cependant, dans cette séquence, tout est faux. La journée du tournage, Cousteau était à Chicago, et il est arrivé tardivement à Mingan à bord d'un jet privé qui a atterri à Longue-Pointe, village voisin et ancien aéroport militaire américain. Une fois au sol, l'explorateur a revêtu les habits traditionnels de Cousteau, incluant son fameux bonnet rouge. Puis on l'a mis dans une chaloupe pour simuler son arrivée depuis la *Calypso.* Les Innus d'Ekuanitshit jouaient le rôle des « Indiens de la tribu des Mingan » et obéissaient aux ordres d'un metteur en scène parisien. Ils attendirent des heures et des heures l'arrivée de la vedette. Dans l'intervalle, cadeau de la production, ils mangeaient des sandwichs au simili-poulet et au baloney, et ils buvaient du coca-cola. Dans le rôle du chef indien accueillant Cousteau sur la plage, le vrai chef de la bande se vit refusé par l'équipe de casting sous prétexte qu'il n'avait pas le profil. Dans le village, c'est un homme tout à fait simple que l'on choisit pour jouer le rôle du chef : Joachim avait un parfait visage d'Indien, comme se l'imagine un Français de France. Le reste du documentaire est à l'avenant, un long tissu de faussetés, un récit cousu de fil blanc. Où l'on voit la *Calypso* dramatiquement prisonnière des glaces cruelles du Saguenay, menacée de passer l'hiver, de s'éventrer sous la pression des glaces, alors qu'on voit en arrière-plan les traversiers aller et venir entre Baie-Sainte-Catherine et Tadoussac. Faux drame, faux enjeux. Il y a un demi-siècle, nous avons tous été victimes de ces faussaires. Radio-Canada a présenté le documentaire à une heure de grande écoute, aux *Beaux Dimanches*. Le gouvernement du Canada avait généreusement financé la production, fasciné par la réputation du fameux commandant Cousteau.

Aujourd'hui, tout est consommé : nous sommes vraiment la société du simili-poulet, une assemblée d'acteurs dociles jouant dans un très mauvais film, dont le scénario est écrit par une agence de voyages.

Lettre aux extraterrestres

Il y a longtemps que nous vous attendions. Au cours des âges, vous avez occupé des générations et des générations de rêveurs humains qui poursuivaient les chemins les plus fous de leur imagination. Vous avez été notre évasion en même temps que notre crainte. Nous étions si seuls dans l'Univers, nous ne pouvions nous résoudre à cette solitude angoissante. Vous avez été notre espérance, notre curiosité, notre miroir réfléchissant. Nous vous espérions tellement que nous n'arrêtions pas d'apercevoir vos vaisseaux, la lumière de vos soucoupes, la nuit. Des sites Internet rapportent que plus de deux mille apparitions ont été signalées, pour la région de Montréal seulement, dans la dernière année. Nous avons toujours prétendu que vous étiez là, invisibles dans le ciel, à nous observer, à tout apprendre de nous. Nous vous avons imaginés conquérants, en quête de nos ressources, représentants d'un empire galactique aux intentions criminelles, hors-la-loi du cosmos. Nous avons même soupçonné que vous viviez déjà parmi nous, déguisés en gens ordinaires, des comptables, des avocats, des ingénieurs, et des artistes certainement. Nous vous avons représentés sous toutes les formes, empruntant aux lézards, aux reptiles, dotés de grosses têtes, imberbes, visqueux, et nous avons entendu vos voix qui sonnaient toujours creux, comme dans une boîte de métal, des voix froides et effrayantes, voix de la raison pure ou chant grave venu de la fin des temps. La modulation est mécanique, le ton est informatique.

Et tant qu'à imaginer une intelligence extraterrestre, nous l'avons imaginée infiniment meilleure que la nôtre. Nous nous sommes vus comme des primitifs confrontés à une civilisation supérieure. Il est connu que l'extraterrestre se téléporte, qu'il se déplace à la vitesse de la lumière, qu'il dispose d'une technologie dont nous ne pouvons même pas envisager l'existence. Avec vous, nous avons fait autant de science-fiction que de science, et si vous venez un jour parmi nous réellement, sachez que notre idée est déjà faite. Comment parler à des formes de vie qui voyagent entre les galaxies, nous qui ne faisons même pas le tour de notre propre étoile ? Il se pourrait que nous ayons développé un immense complexe d'infériorité. L'extraterrestre a des pouvoirs que nous n'avons pas, et nous nous demandons comment nous comporter devant pareille merveille. Car il est clair, quand on regarde un Terrien, qu'il lui manque des moyens et que sa vie est limitée.

Les lois de la physique sont les mêmes partout dans l'Univers. Si la vie existe quelque part sur une autre planète, ce qui est plus que probable, il se peut que cette vie ait suivi le cours normal des choses : une bactérie, des cellules, un mouvement de complexification, une vie végétative, une vie animale, puis une vie consciente, comme nous la connaissons chez nous. Mais il apparaît bien normal que chez vous, les extraterrestres, le processus se soit poursuivi et soit encore plus avancé que chez nous : au corps physique, à la conscience réfléchie ont succédé des étapes de plus grande complexification. Vous vous êtes débarrassés de votre enveloppe corporelle pour échapper à la gravité, aux maladies, au vieillissement et à la dégénérescence. Vous vous êtes libérés des besoins essentiels.

Sachez que, pour nous, il est difficile de vous concevoir. Après toutes ces caricatures, ces dessins animés, ces fictions, ces bricolages de monstres, il faudra bien vous accepter un jour pour ce que vous êtes. De purs esprits. Vous avez réussi ce tour qui consiste à vous dématérialiser. À ce titre, chers extraterrestres, il faut être indulgent à notre égard. Excusez notre espèce. Nous avons les impatiences de nos angoisses, nous sommes lourds et lourdauds, bagarreurs, boudeurs, rancuniers, inachevés. Soyez indulgents envers le chef de notre Terre. Il a un visage orange, des cheveux improbables, il joue au golf, il est plutôt faible d'esprit. C'est un extraterrestre à sa manière et nous n'avons, en la matière, rien de mieux à vous montrer.

Mes parents étaient des primitifs

Contrairement à ce que l'on colporte généralement, toutes les sociétés ont élaboré depuis toujours des gastronomies recherchées. Sauf l'Angleterre, peut-être. Il est faux de prétendre que nous découvrons aujourd'hui les vertus d'une saine alimentation à partir de données que nous ignorions hier. Les humains mangent depuis des lunes et des lunes, je crois qu'ils aiment ça. Lorsqu'une famille de chasseurs tuait un cochon sauvage sur les rives de l'Orénoque, ou un caribou sur les rives de la Caniapiscau, les hommes, les femmes et les enfants souriaient en pensant au festin de viande et de graisse qui s'annonçait. En même temps, ils renforçaient le dialogue avec le monde sacré des animaux. Nous faisons tous partie du vivant, du cycle de la vie et de la mort, de l'offrande, de la force, du don. Nous t'aimerons, cochon, jusqu'à ta moelle, jusqu'à ta couenne, jusqu'à ton âme, et nous te remercions de t'être ainsi donné pour que vivent les nôtres.

Par ailleurs, je n'ai jamais vu mon père ou ma mère s'interroger sur ce qu'ils mangeaient. Ils étaient heureux de mettre du manger sur la table, un point c'est tout. Toutefois, l'ancienne vision du monde aux sources de la notion du bon manger canadien-français existait bel et bien. Au sommet de la pyramide, la viande. Nous avons été élevés aux rôtis de bœuf, au steak haché, aux rôtis de porc, aux escalopes, nous mangions de la langue, des rognons, du ris de veau, du foie, de la cervelle, des cœurs, de la graisse de rôti et des cretons. Nous avions de bonnes fricassées, des ragoûts et des bouillis. Et nous mangions aussi des légumes. Ah ! les choux, les patates pilées, les grosses patates bouillies, le bon navet au beurre, les carottes, les tomates, les oignons, le céleri, le blé d'Inde et les petits pois verts. Au fond, nos aïeux respectaient les principes d'Escoffier, le grand chef à l'origine de la cuisine française : beaucoup de beurre, beaucoup de crème, des sauces et des sauces. Dans les romans de Zola, les bouchers sont toujours gras.

J'avoue donc avoir été élevé au sein d'un monde primitif. Serais-je le dernier des mangeurs de lard ? Aujourd'hui, le mythe sous-tendant les codes alimentaires s'appuie sur une vision de la santé physique extrême, de l'espérance de vie extrême, de la propreté morale extrême en face du vivant. Personne ne veut plus avoir de sang sur les mains. Nos parents avaient les mains dans le boudin, ils plantaient des poteaux de clôture à la masse, ils réparaient des tracteurs et des camions, nos mères avaient l'intelligence naturelle des réalités de la vie, elles lavaient les choses, frottaient, récuraient, soignaient, cousaient, tricotaient. Mais tout cela n'existe plus. Il n'est plus possible, semble-t-il, de dévorer et de mordre dans la vie. Nous mangeons aujourd'hui aussi lisse et propre qu'une publicité d'Apple. Nous savons tous qu'il y a un rapport entre l'intestin et le cerveau ; l'intelligence artificielle induirait-elle une digestion froide et des excréments inodores ?

Le végétarisme et l'intelligence artificielle représentent certainement l'avenir du monde, depuis que la production de bouffe industrielle et carnée a fait la preuve de son absurdité. Toutefois, nous ne sommes pas tirés d'affaire. L'humanité a le choix entre deux absurdes : fournir du jambon et de la viande hachée à huit milliards d'individus ou fournir un iPod et un cellulaire dernière génération aux mêmes huit milliards d'individus. Avec un jambon, il est impossible de texter. Mais avec un cellulaire, il est possible de faire une recherche sur les méfaits du jambon, sur la souffrance animale, sur le scandale de l'abattoir, tout en mangeant sa salade de roquette et des amandes, sans se salir les mains.

J'ai connu un oncle qui, sur une période de quarante ans, s'est levé à quatre heures du matin pour aller travailler dans les raffineries de l'est de la ville. Toutes les nuits, à la noirceur, bien avant l'aube, ma tante lui faisait cuire un steak avec une sauce au thé, avant qu'il aille prendre l'autobus. Un steak à la fois, mon oncle a vécu pendant quatre-vingt-dix-neuf ans, sans se poser de questions.

∗ ∗ ∗

Quel est le mystère du Beyond Meat ? Que trouve-t-on « au-delà » de la viande ? S'agit-il réellement de la viande de l'au-delà, celle qui nourrit les anges, sorte de hamburger céleste servi aux bienheureux et aux élus ? Dans cette galette, on reconnaît le goût de la viande, la texture du bœuf haché, la copie est parfaite. Mais ce double est un faux. C'est une imitation, pire, une imposture. Car, en vérité, cette boulette se fait passer pour une autre. Nous devrions crier au vol d'identité, à l'appropriation culturelle, mais non, nous nous félicitons de l'exploit et nous en faisons une intense publicité.

Paradoxe, ironie, le double ici l'emporte sur l'original, le faux sur le vrai. Pour réaliser cette inversion qui fait du faux la « vraie affaire », il est nécessaire d'attribuer à la copie une valeur bénéfique absolue. La boulette de viande hachée qui n'en est pas une est meilleure que la vraie dans la mesure où la vraie sera accusée d'avoir commis un crime grave. La viande rouge, qui fut si longtemps notre alliée, est devenue notre ennemie. Elle nous tue, et en plus elle tue la planète. Son empreinte écologique est si lourde qu'il fallait à tout prix la déclarer coupable. La viande qui nous donnait la santé nous donne à présent le mal, elle nous abîme le cœur et nous bloque les artères. Ne sommes-nous pas les victimes du luxe ? Le raffinement, les livres de recettes et les cuisines du monde, le goût des uns, les goûts des autres, les peurs hypocondriaques, les paniques écologiques, la médecine, tout cela a remis en cause le simple fait d'avoir ou pas du manger sur la table. La grande importance que nous attachons à notre personne fait que nos plats, désormais, sont des choix de vie personnalisés, des remèdes contre les mauvaises choses, notre régime est un protocole rigoureux pour un parcours sans faute. Tous les aliments sont passés au peigne fin, pour leurs défauts, pour leurs vertus. Faire l'épicerie revient à faire enquête, chaque échalote devra montrer patte blanche, chaque jus devra prouver son authenticité, chaque poule devra fournir la preuve qu'elle a été élevée aux sept grains et en liberté.

Depuis toujours, je mange des *grilled cheese*. Très conservateur, je préfère le sandwich au fromage grillé *vintage*, que je qualifierais de « vrai *grilled cheese* », celui qui est fait avec du fromage jaune et du pain blanc. Mais ne voilà-t-il pas que nous apprenons que mon fromage jaune n'est pas du vrai fromage et que mon pain blanc n'est pas du vrai pain. Pauvres, nous faisions tout pour ne pas manger notre pain noir, mais voilà que c'est noir qu'il fallait le manger ! Là où le poulet était roi, pourquoi fallait-il que l'on en invente un faux, je pense bien sûr au simili-poulet ? Ce faux poulet était-il un poulet de l'au-delà, un Beyond Chicken ? Nous savons aujourd'hui que ces faux produits n'avaient pas de vertus. Issus de l'irresponsabilité industrielle, ils étaient le contraire du Beyond Meat qui, lui, nous veut du bien. La société du simili-poulet a été la victime d'une

grande arnaque. Au nom de la facilité, du sucre et de l'abondance, nous avons à l'époque glorieuse de l'après-guerre
transformé notre spaghetti en conserve Chef Boyardee. Que
dire de la saucisse grillée, du baloney sombrero ? Nous
avons mangé mal, très mal. Il nous faut maintenant faire
pénitence et nous convertir au menu de la réparation, à la
salade de la rédemption.

Cependant, dans le grand ménage qui a révolutionné
notre liste d'épicerie, je trouve étonnant que la viande soit
si brutalement passée dans la classe des aliments coupables.
Jeune, en dormant, je ne rêvais pas à l'arrivée du kale ou du
tofu dans ma vie. La nuit, je rêvais plutôt d'un bon steak, un
filet mignon, la nourriture des riches, je salivais à l'idée
du bœuf haché. Je sais aujourd'hui que ces rêves étaient
immensément coupables et que j'aurais dû m'en confesser.
C'était plus coupable que d'imaginer ma voisine en petite
tenue. Rien de plus honteux désormais que de passer à la
caisse de l'épicerie avec deux enveloppes de simili-poulet,
du pain blanc, de la mayonnaise, du beurre salé, en disant
au préposé que ce sont des provisions pour les lunchs
des enfants !

Le caniche et le loup
et autres fables

Le caniche et le loup

Le chien est un loup qui a goûté à la facilité. Un jour, jadis, autour d'un feu paléolithique, il a mordu dans un restant de viande que les chasseurs avaient nonchalamment laissé tomber. Depuis, le domestique quête de la viande, il quête de l'amour, il cherche la chaleur du feu, il a peur tout le temps. Il en veut toujours plus, des miettes et des cajoleries, des caresses et des finesses. Voyez ce qui lui arrive : à cause de ses désirs, il a perdu sa liberté. Plus encore, il en a perdu les attributs, il ne sait plus rien des compétences de la liberté.

La métaphore du chien et du loup est pleine de sens et elle a été utilisée depuis toujours par les fabulistes. Nous avons tous la nostalgie romantique de la liberté des loups dans les grands espaces sauvages, de leur superbe, de leur indépendance. Nous mythifions le loup, certes. Toutefois, sa sauvagerie nous effraie. Car nous vivons comme des chiens de race sur le plancher des concours de beauté canins. Nous sommes des *poodles* parfumés ; comment voulez-vous survivre dans un monde naturel lorsque vous êtes frisé, frileux, pomponné et psychologiquement instable ? Nous faisons semblant d'être libres, mais nos escapades sont comme les jeux des chiens dans les enclos réservés.

Pour le chien que l'on promène, la liberté n'est plus la liberté, c'est devenu un jeu, un loisir, un exercice pour garder la forme. Sa liberté est une distraction bien encadrée.

Car le chien véritablement libre deviendrait vite un chien-loup, c'est-à-dire un chien perdu pour la société cultivée, un authentique chien « pas de médaille ». Il irait où il veut. Ce ne serait pas long qu'on le déclarerait bâtard et dangereux. On dirait qu'il est sauvage, qu'il a la rage. De toute manière, le chien ne cherche pas à s'évader pour de vrai, depuis qu'il est bien connu qu'il s'accroche lui-même à sa laisse. La facilité est l'ennemie de la liberté. Nous sommes un peu pris entre deux feux. D'une part, le progrès technique, économique, scientifique nous est présenté comme une libération du fastidieux et du difficile, ce qui est vrai. D'autre part, ce même progrès nous enlève les attributs de la liberté par le biais du confort et du ramollissement de tout. Ce qui est vrai aussi. Le royaume de la facilité ne supporte pas les obstacles et les contrariétés. Il les élimine, les évite, les nie. Pourtant, c'est de l'obstacle que naît la libre créativité, il faut un mur pour le sauter, il faut un hiver pour y survivre. Les vieux loups sont pleins de cicatrices, ils ont le museau amoché, ils font de l'arthrite chronique et cultivent de grandes nostalgies. Cela n'existe pas, un loup qui se teindrait les poils afin de passer pour un jeune loup.

La pensée libre est une pensée sauvage. La question se pose : comment garder sa tête de loup dans ce monde de queues de chiens ? Comment échapper au tourbillon des pensées à rabais, des énoncés faciles, des aboiements et des pleurnichages canins ? Le loup a l'esprit d'équipe et il tient à sa liberté comme une vie tient à son âme. Il est attaché à sa meute autant qu'à son individualité. Lorsque le loup hurle, il s'élève de la forêt un concert de dignité, c'est le cantique d'avant les cantiques, une complainte profonde s'adressant à la lune. Qui a eu la chance d'entendre le chant du loup dans la nuit boréale ne l'oubliera jamais. Le hurlement du loup donne à penser tandis que l'aboiement hystérique du chien agace.

C'est fou comme la société nous rappelle à tout bout de champ le paradoxe de la liberté. S'agit-il seulement de dire ce que l'on veut, de faire ce que l'on veut, de se donner tous les droits, y compris celui de ne rien respecter ? Ou ne s'agirait-il pas plutôt d'autre chose ? La pensée libre fait de nous des humains en conscience. La solidarité fait de nous des humains en puissance. Le savoir et l'intelligence faisant le reste, nous pourrions être aussi beaux que des loups sauvages, si seulement nous nous y mettions.

La liberté selon Dersou

Il y a, sur le fil de Facebook, des vidéos qui reviennent régulièrement, des petits films d'animaux pris au piège et qu'un bon samaritain libère. Lorsqu'un loup se prend la patte dans un piège, tout ce qu'il est disparaît d'un coup. Il ne peut plus courir, s'enfoncer dans le bois, faire valoir sa sauvage liberté. Une fois libéré par un passant au grand cœur, un libérateur qui filme ses bons coups, opération délicate après opération délicate, le loup s'enfuit sans demander son reste, il court sans regarder derrière, il détale comme un lièvre avec l'énergie du désespoir. On imagine facilement la joie qu'il éprouve, après avoir été entravé, frustré, souffrant pendant des heures, de pouvoir se sauver dans les profondeurs de la forêt, loin des trappeurs humains, loin des humains tout court, toujours plus loin, toujours plus libre. Il y a un cousinage fort entre la fuite et la liberté, tout comme il y en a un entre la fuite et la vie. C'est en effet une question de vie ou de mort. Si le loup ne retrouve pas sa liberté, d'une manière ou d'une autre, il va mourir.

Nous, les humains, n'avons pas un rapport aussi clair avec la liberté, la vie et la mort. Nous, les humains, sommes un peu comme les chiens, nous pouvons très facilement nous convaincre des bienfaits de la laisse, du collier, de l'attache, voire du piège. C'est peut-être dans notre nature de nous attacher. Contrairement au loup qui ne pense qu'à s'enfuir et qui souffre pendant chaque seconde de captivité, l'humain est capable de penser à autre chose. Ce « penser à autre chose » est un divertissement, dans le sens pascalien du terme. Plutôt que de ronger notre frein pour mieux nous en libérer, nous multiplions les pièges pour mieux nous divertir.

Pour l'humain, la liberté n'est qu'un mot, une déclaration de principe, un concept abstrait. Car s'il lui fallait assumer vraiment sa liberté, il serait effrayé et perdu, cherchant aussitôt un poteau pour s'attacher, une cabane pour s'abriter, un cinéma pour se rassurer, un gros sac de pop-corn en prime, des bonbons, des amis en ligne, un soda dans une bouteille en plastique, de la bière en canette, une Mazda parce que tu es rendu là, un tout-compris à Punta Banana et tous ces projets édifiants à l'agenda de nos jours. Nous sommes prisonniers de nos cages, pris dans le filet de nos technologies, de nos finances et de nos jouets. À moins d'être enchaînés, nous sommes toujours libres de partir. Mais il arrive justement que nous soyons attachés, retenus par autant de liens qui nous empêchent de prendre le large, sinon pour fuir l'hiver une semaine par année.

Je pense souvent à ce film russe qui a marqué mon imaginaire à tout jamais : il s'intitule *Dersou Ouzala*. C'est l'histoire d'un chasseur samoyède vivant dans la forêt boréale. Il est obsédé par le tigre de Sibérie, soit qu'il en ait une grande peur, soit qu'il veuille le tuer. Dans l'intervalle, il trappe les animaux à fourrure, la loutre et la zibeline, et se nourrit de viandes sauvages. Il vit seul, car il a perdu toute sa famille. Vieillissant et perdant la vue, incapable désormais de viser juste, il est invité par un topographe russe à venir s'installer dans sa maison, en ville, pour finir ses vieux jours à la chaleur confortable d'un bon foyer. Dersou se laisse convaincre, et il passe quelques mois d'hiver dans la maison du topographe. Puis, un jour de tempête de neige, regardant par la fenêtre, il se prend de nostalgie pour ses courses anciennes. Il quitte la maison, sort de la ville, malgré le vent, malgré la poudrerie, et court retrouver sa taïga. Le topographe lui offre un beau fusil, mais il sait que Dersou court à sa perte. Un chasseur qui ne voit plus très clair est un chasseur mort. Or le plan de retraite de Dersou Ouzala, c'est simplement cela, la liberté. Et cela veut dire : être libre de se faire tuer par un tigre de Sibérie. Ou par un bandit qui veut lui voler son beau fusil. J'entends Dersou hurler : « La liberté ou la mort ! »

Le vieux cheval et l'horizon

Solitaire dans son enclos, un vieux cheval se demandait pourquoi tous les chevaux du monde n'étaient pas libres et sauvages comme ils l'avaient été pendant si longtemps. Aujourd'hui, trop de chevaux, voyant une allée d'arbres au bout de leur petit pré, se mettent à croire que les silhouettes de ces épinettes grasses qui se profilent au bout du champ constituent la fin du monde et le dernier des paysages. Dès lors, le cheval philosophe s'étonne de cette courte vue, de cette docilité qui frappe des animaux faits pour la course et la découverte. Pourquoi le mur devient-il une sainte borne, pourquoi la haie ferme-t-elle toutes les ouvertures ? Les animaux ainsi bornés peuvent très bien faire contre mauvaise fortune bon cœur, se dit-il, ils peuvent se rassurer, troquant leur liberté sauvage pour la quiétude des écuries, pour la sécurité que leur procure l'enclos. Mais c'est bien cher payer, car le cheval en vient ainsi à oublier que l'au-delà existe. Et pourtant, s'il avait de la mémoire, il se souviendrait que ses ancêtres étaient de grands migrateurs obsédés d'horizons nouveaux.

En matière de voyage, le cheval a une belle et longue histoire. Il est né en Amérique, où il a évolué pendant des millions d'années dans les grandes plaines de ces très anciens temps. Gros comme un chien en son début, le cheval a pris peu à peu la taille d'un cheval, c'est le cas de le dire, au fil des millénaires. À force de courir dans des espaces infinis, de poursuivre le vent et de migrer sans cesse, les chevaux ont quitté l'Amérique sans trop s'en apercevoir, empruntant le passage de Behring pour aller peupler l'Asie, le Moyen-Orient et l'Europe. Bien des millénaires se sont écoulés pendant lesquels on n'a plus vu un seul cheval en Amérique. Mais il est revenu sur son continent d'origine par bateau, avec les Espagnols. Au fil de ses migrations, il a fait le tour complet de la terre, s'adaptant au froid, s'adaptant au chaud, au désert, aux montagnes, avant de revenir à son lieu de naissance où il a symbolisé la liberté, celle du gaucho, celle du cowboy, celle de l'Apache.

Comme le cheval, l'humain n'est jamais resté en son berceau. S'il a une origine, il a surtout un destin, pour ne pas dire une destination. Si le cheval est américain au départ, l'homme, quant à lui, est africain de naissance. Puisque les deux espèces ont des jambes infatigables, elles devaient se rencontrer quelque part en Asie et en Europe. L'humain enfourcha le cheval, l'un et l'autre devenant partenaires dans les plus grandes migrations.

Partir, rester, s'enraciner ou s'envoler, nous avons toujours été confrontés au problème de l'horizon. Aux gènes et à l'instinct se sont ajoutés les pulsions de l'imaginaire et l'irrépressible appel de l'inconnu. Il faudra bien écrire un jour ce bel essai : *Histoire universelle des horizons*. Au-delà de cette colline, il y a une vallée ; dans cette vallée se trouvent des maisons, des gens qui font une soupe différente de la nôtre, qui parlent avec des mots différents des nôtres. Plus loin encore, il y a des plaines, et ensuite des montagnes. Une fois franchies, ces montagnes plongent dans l'océan. Tous les lieux ont des points de vue et tous les points de vue ont un horizon. Oui, quand l'humain a rencontré le cheval, les routes de deux grands migrants se sont croisées. Ensemble, ils auront exploré et parcouru le monde. Le cheval a appris toutes les langues, il s'est adapté à toutes les coutumes, il a mangé de toutes les herbes, il a servi aux labours et aux récoltes, il a servi les empereurs et les armées, il a été au service de toutes les libertés, de toutes les échappées. Et le vieux cheval de se dire : nous avons franchi toutes les lignes d'horizon, il n'est plus d'inconnu, certainement plus de surprises. Nous avons été aux confins du monde pour seulement y retrouver les traces de nos propres premiers pas.

La leçon de la maman lynx

La maman lynx ne fera pas beaucoup de petits lynx si elle sait que les lièvres se feront rares dans les hivers qui viennent. Anticipant d'instinct les temps durs, elle entrera en phase de chasteté, repoussera les mâles ratoureux, quitte à jouer de la griffe pour rejeter leurs avances. Les mâles, dépités, en seront quittes pour promener leur mauvaise humeur dans la solitude de la forêt. De son côté, la maman lynx se félicite de sa décision : « Pourquoi mettrais-je au monde des petits lynx qui vont mourir de froid et de faim ? Quand il y aura des lièvres en abondance, nous nous reprendrons. » La leçon de la maman lynx a été bien comprise par les populations nomades anciennes qui vivaient du produit de leurs chasses. Ces sages apprenaient de la nature. S'il y avait risque de famine, ils évitaient de donner naissance à des marmailles de douze enfants. La régulation des naissances répond à un calcul des risques très ancien.

Cependant, l'humanité depuis quelques siècles a réglé son cas à la nature. Plus question d'entendre ses leçons, de prêter attention à ses avertissements. L'humain est roi et maître de la planète, il fait ce qu'il veut, quand il veut, sans tenir compte des conditions naturelles, environnementales et historiques. En 1947, l'année de ma naissance, deux milliards d'humains vivaient sur terre. Soixante-dix ans plus tard, la population mondiale approche les huit milliards d'individus. Cette croissance démographique phénoménale est en rapport étroit avec la croissance économique : il est bon de vendre des téléphones intelligents à des milliards d'acheteurs.

Bien sûr, c'est une pulsion toute naturelle qui nous pousse à avoir des enfants. Il en va au départ de la reproduction de l'espèce. Les formes vivantes sont programmées pour essaimer, et aucune espèce ne cherche délibérément à se retrouver sur la voie de l'extinction. Ajoutons à cela quelques grandes émotions, une solide base symbolique et ce qu'on appelle les « joies de la reproduction ». Cependant, ces joies, depuis toujours, viennent avec une inquiétude naturelle : la vie de cet enfant sera-t-elle bonne, survivra-t-il aux dangers, aux coups durs, aura-t-il de bonnes conditions de vie ? Vieille question, en vérité, qui a accompagné les parents depuis la nuit des temps. Mais voilà que cette question, qui jusqu'à hier interrogeait sereinement le futur, est devenue, chez les postmodernes que nous sommes, une angoisse profonde. Nous avons fait un grand tour de progrès pour en revenir aux considérations de la maman lynx. Devant ce qui s'annonce avec certitude, c'est-à-dire le réchauffement climatique, les conditions météo extrêmes, les crises économiques, les bouleversements géopolitiques, les migrations humaines, les réfugiés du climat, le tout causé par une croissance incontrôlée, par une avidité marchande effrénée, par une démographie ingouvernable, nous nous demandons et nous nous demanderons encore plus s'il vaut la peine de mettre un enfant au monde, de mettre un enfant dans ce monde.

Il ne s'agit plus de savoir s'il y aura assez de lièvres à manger, il s'agit plutôt de reconnaître que nous avons détruit la forêt où vivaient le lynx et le lièvre, nous avons empoisonné l'air et l'eau, pollué les mers, transformé la terre en un petit fourneau, tout cela au nom des droits sacrés du progrès. Tous aux abris, nous ne sommes plus les enfants de la nature ! Serons-nous demain des transhumains en mode panique, textant dans le vide des SOS bien inutiles ? Avant qu'il soit trop tard, ne devrions-nous pas d'urgence retourner à l'école de la maman lynx ? Décroître, décroître, redevenir humains, et au nom de nos enfants redonner une nouvelle chance à la beauté du monde ?

La honte du coyote

Chaque fois que je l'ai rencontré sur ma route, le coyote m'a projeté l'image tragicomique de l'animal perclus de honte. Il m'envisage de son regard oblique, la tête basse, les oreilles rabattues, se demandant si j'ai deviné l'ampleur de ses mauvais coups. Il se rentre la queue entre les deux jambes, comme le font les chiens quand ils ont peur. Il marche aussi de côté, surveillant ses arrières, essayant d'échapper à la vue de son juge. Il trottine plus qu'il ne court vers les sous-bois où il espère disparaître. Même son pelage est celui d'un fugitif, d'une âme en cavale. Car justement, il n'a pas l'âme en paix. Jamais on n'a vu un coyote innocent, relax, fier de lui-même, la conscience tranquille. Alors que le renard est un orgueilleux voleur de poules, que le loup est un seigneur dans la forêt, le coyote, lui, se désole de lui-même, comme s'il expiait un crime inavouable. De quel geste le coyote peut-il bien être coupable pour ainsi se retrouver sur la liste des animaux honteux ?

Une partie de la réponse se trouve dans les mythes de la création du monde, versions kiowa-apache, pueblo et navaho, peut-être même pima. Dans des temps très anciens, à l'origine du monde, la terre était un paradis. Il y faisait toujours soleil, l'air était doux, pas trop chaud, jamais froid. Il n'y avait pas de moustiques, pas de serpents venimeux, pas de poux. Il n'y avait pas non plus de vent, si bien que l'on pouvait naviguer sur l'eau sans craindre les tempêtes soudaines. Les animaux parlaient la langue des humains, les humains comprenaient les animaux, tous vivaient dans la plus parfaite des harmonies. La faim n'existant pas, personne ne mangeait personne, et personne ne faisait de mal à personne. Les humains, par coquetterie et goût du luxe, mangeaient des cerises, mais là s'arrêtait leur cueillette. On dit que les rivières coulaient dans les deux sens, si bien que les voyageurs descendaient toujours vers leur destination, sans fournir aucun effort. Le temps passait sans que personne meure ou soit malade. Le Grand Esprit avait donné le paradis aux humains et aux animaux, mais il avait imposé une condition : ne rien détruire, ne rien changer à l'ordre des choses. Tous respectaient l'harmonie du Grand Esprit.

C'est alors que survint le Coyote. Il arriva en courant et en hurlant de sa petite voix de faux loup. Il piétina les jardins et les fleurs, il effraya les hirondelles, terrorisa les canetons, mordit la queue du castor, dérangea les ours dans leur sommeil. Il courut, il courut, ne se possédant plus lui-même, il brisa des branches, mit le feu aux forêts, urina dans les lacs, il alla même jusqu'à mordre le mollet d'un humain. À la fin, haletant, épuisé, il se retira dans les montagnes.

Dans les heures qui suivirent, le ciel s'assombrit, il se mit à pleuvoir, il y eut des orages et des inondations. Les rivières et les fleuves se mirent à couler dans un seul sens. Les humains commencèrent à vieillir, puis à mourir. Il fallut travailler pour voyager, chasser pour manger, le sang coula. Les humains devinrent cruels entre eux et envers les animaux. On connut de grandes chaleurs, de grands froids, puis apparurent les déserts et les serpents à sonnette, les côtes à remonter, la souffrance. Le monde comme nous le connaissons, en somme.

Et aujourd'hui, le coyote, c'est nous. Nous devrions tous ressentir la honte d'avoir détruit la nature. L'humanité honteuse ne sera jamais pardonnée d'avoir été si riche sans pouvoir nourrir tous ses enfants, sans avoir soigné tous ses enfants. La pauvreté est notre honte à tous, tout comme l'injustice rampante et le mensonge de l'économie. L'humanité a la fale basse, la queue entre les jambes, les oreilles rabattues, le regard oblique, espèce maudite qui, après avoir dévasté le monde, songe à trouver dans l'espace une planète vierge, un autre paradis à saccager.

Déesse-mère, telle une ourse

Artémis. C'était la déesse des ours, les premières lettres de son nom formant la racine indo-européenne du nom de l'ours en Occident. Il y a dans le *art* d'*Artémis* le même *art* que dans le nom du roi Arthur, le roi-ours. Elle-même vierge, Artémis symbolisait la fécondité, l'humidité, la lumière chaude de la lune, la forêt profonde, la maternité. Mais comme les ours, la déesse aura subi un long déclin dans le cœur des humains.

Artémis a été la déesse-mère, aux sources de toute la vie. Le corps nu sous une peau d'ours, elle se promenait en son domaine forestier hors de la vue des hommes. Ses pouvoirs de mort étaient au moins aussi grands que ses pouvoirs de vie. On l'a longtemps associée à la chasse, car la chasse, inscrite dans la mémoire de l'humanité, fut féminine avant d'être machiste. Le premier dieu unique était une femme, justement appelée la « déesse-mère ».

L'ours, quant à lui, dominait son monde forestier, ancien et caverneux. Il était le roi des animaux. C'est à ce titre que sa fourrure devint la robe d'Artémis, car la déesse de la chasse devait s'associer au roi des prédateurs. Une des nymphes d'Artémis, rompant avec son vœu de chasteté, eut une relation avec Zeus. De cette union naquit un fils qui devint roi d'Arcadie, la terre des ours, le mot *Arcadie* répétant la racine *ar*, le phonème de l'ours. Pour protéger la nymphe de la colère de Héra, l'épouse de Zeus, Artémis la changea en ourse. Mais voilà qu'un jour, le roi-ours de l'Arcadie, chassant des ours en son domaine, allait tuer une belle ourse lorsque Zeus retint son bras, évitant de justesse que le fils tue sa mère sans le savoir. Pour que la chose ne risque plus de se produire, mère et fils furent envoyés au ciel, où ils forment depuis la Grande Ourse et le Petit Ours.

La mère ourse et ses oursons représentent par ailleurs la quintessence de la monoparentalité généreuse. L'ourse, associée à la lune, à la maternité, donne naissance en sa tanière, durant son sommeil hivernal, à des oursons très vulnérables. Tout petits, aveugles, ils viennent au monde bien avant d'être formés pour y vivre. La croyance populaire dit que les oursons sont des avortons, qu'ils sont informes, et que l'ourse accouche d'eux bien trop tôt. Elle doit donc les lécher pour finir de leur donner un vrai visage d'ourson. L'ours mal léché est un ours brouillon, le raté de la fournée. Néanmoins, la mère ourse est dévouée, patiente et très protectrice. Elle va consacrer deux ou trois ans de sa vie à éduquer ses enfants turbulents, parfois imprudents. Elle est prête à mourir pour éloigner les menaces. Elle s'épuise à les nourrir, à les réconforter, à assurer leur équilibre et leur sécurité. Tout cela contre les pères menaçants.

Pour les chasseurs des temps anciens, qu'on a appelés les « païens », pour leurs familles et leur parenté, il était normal que l'ourse représente un monde de puissances occultes liées à la fécondité, à la force, à l'intelligence de la chasse et à la maternité en général. Il était normal que la déesse au sommet de tout soit une mère, qu'elle se nomme Artémis et qu'elle porte une peau d'ours. Mais au fil des époques, les pères se sont vengés, ils ont mis Zeus au sommet de la pyramide, puis ils ont vénéré un Dieu vengeur, et enfin un Dieu le Père. Artémis est devenue une déesse secondaire, pendant que l'ours perdait son rang de roi des animaux au profit du lion. Les enfants de l'ourse renièrent leur mère à jamais pour installer la société des ours de guerre, un monde d'hommes, faisant de l'histoire un immense *boys club*. La chrétienté a fait le reste, qui n'a jamais voulu de mère dans ce monde de Dieu le Père. L'Église est une affaire d'hommes, comme la guerre, comme le pouvoir. Bonne sainte Anne, priez pour nous!

L'origine de Po

J'ai toujours été impressionné par le chef pied-noir Isapo Muxica, dit Crow Foot en anglais, aussi connu sous le nom de Pied de Corbeau. Les Pieds-Noirs faisaient partie d'une confédération de nations algonquiennes vivant dans l'Ouest canadien, au pied des montagnes Rocheuses. Les ennemis jurés de la Confédération étaient les Cris des Plaines. Ce qui n'a pas empêché Isapo Muxica d'adopter un petit orphelin de la nation crie, un enfant ennemi qui allait devenir le très fameux Poundmaker ou Faiseur d'Éclats. En réalité, Poundmaker s'appelait Pitikwa Hanapi Wyin. Lui et Isapo Muxica sont deux grands personnages historiques qui jouèrent un rôle important dans la résistance du Nord-Ouest en 1885. En 1886, vaincu par la tuberculose et le chagrin, le grand guerrier cri Pitikwa Hanapi Wyin, qui vivait dans le nord du Manitoba, est venu mourir dans les bras de son père adoptif, à la traverse des Pieds-Noirs, dans la région de Calgary. Sa mort a tellement démoli le vieux Isapo Muxica que ce dernier l'a suivi dans l'au-delà quelques mois plus tard.

L'adoption, chez les nations amérindiennes anciennes, était non seulement courante et généralisée, mais absolument naturelle. Dans ces sociétés, dont les structures reposaient avant tout sur la famille et la parenté, tout se résumait à inclure ou à exclure. Tu es des nôtres ou tu n'es pas des nôtres. Outre les liens du sang et les alliances par mariage,

les familles se formaient par l'adoption. La filiation biologique n'avait pas une grande importance. La position
dans l'ordre de la parenté l'emportait sur tout. Plus encore,
les ethnographes et autres observateurs ont remarqué qu'il
était d'usage d'adopter un membre de la nation ennemie
pour remplacer un membre de sa famille tué au combat. Les
Amérindiens adoptaient volontiers des Blancs, même des
Blancs adultes, comme ce fut le cas dans la vie étonnante de
Pierre-Esprit Radisson, devenu un Iroquois en bonne et due
forme. Cette façon dite naturelle de « donner une famille »
à l'enfant s'est longtemps perpétuée dans la société canadienne-française traditionnelle. Tout le monde savait que
tel enfant, fils illégitime d'une jeune mère morte en couches,
était devenu le fils d'une vieille fille de la famille qui ne pouvait pas avoir d'enfant. L'adoption n'était ni légale ni for-
melle, c'était un engagement informel fondé sur le silence
du clan. Dans ce monde de familles nombreuses, on distri-
buait les surplus, on équilibrait les choses.

Être seul et orphelin, abandonné, puis retrouver
l'amour d'une mère et d'un père, retrouver une famille,
seule véritable protection contre l'amertume de la vie, voilà
un archétype profond. Dans le film d'animation *Kung Fu
Panda*, le personnage principal est un panda orphelin
répondant au nom de Po. Ce dernier a été élevé par un père
improbable, l'oie Ping, restaurateur talentueux qui fait des
soupes irrésistibles. Le cuisinier a trouvé l'ourson Po dans
une caisse de radis. Depuis, il s'en est occupé comme d'un
précieux fils. Vient dans le récit ce moment comique où
Ping doit révéler à Po qu'il n'est pas vraiment son « père » :
l'oie Ping et l'ours Po n'avaient jamais vu qui ils étaient sur
le fond, le premier une oie, le second un ours. Il était impossible que l'oie soit le père biologique de l'ours, mais la vie dit
autrement. Panda ou pas, Po était le fils de Ping. Oie ou pas,
Ping était le seul et véritable père de Po.

Telle est la grandeur de l'adoption. Peu importe qui est l'adopté, un adulte, un enfant, un ennemi, un autre venu du bout du monde, un autre extrêmement différent : au-delà des liens du sang, et en dépit des lois et de la raison, se brasse la macédoine des identités. Un mystère plus grand que les pouvoirs combinés de Gitche Manitou et du Guerrier Dragon du kung fu. Ce qui n'est pas rien.

La complainte de l'ourson orphelin

Il faut un peu de mystère pour simplement y croire. Autrement, tout serait clair, ce qui serait bien ennuyeux. Quand j'étais jeune, s'il est une phrase chantée qui m'impressionnait dans la liturgie de l'Église catholique, c'était bien celle-ci : « Il est grand, le mystère de la Foi. » On ne saurait mieux dire. Croire, c'est ne pas poser de questions, et croire en ses propres histoires est un principe élémentaire de la croyance en général. D'une manière ou d'une autre, tant de choses nous échappent.

Je tire ce souvenir du temps où je possédais des terres et des forêts. Dans ce que nous appelions la « vallée de l'ourson perdu » vivait un arbre qui pleurait chaque année, du printemps jusqu'à l'automne, l'arbre dans lequel un ourson avait grimpé pour se rassurer, pour longuement appeler sa mère, geignant et gémissant, jusqu'à ce qu'il tombe d'épuisement, jusqu'à ce qu'il meure de peine. Cela s'est passé il y a plusieurs années. Pour le vieil arbre solitaire, c'en fut trop. La tristesse était entrée en lui, entre l'arbre et l'écorce d'abord, avant de finir par lui toucher le cœur. Depuis, chaque année, le grand érable rouge pleure abondamment, en souvenir de l'orphelin poilu dont les plaintes ont marqué à jamais cette vallée tranquille. Le fantôme d'un cri, voilà ce qui hante encore la forêt de feuillus.

Quand nous passions dans les parages, le soir à la brunante, nous entendions l'arbre se lamenter, et rien n'expliquait ce bruit qui semblait venir du fond de l'air. Alors, je racontais à mes invités l'histoire de l'ourson perdu. Chaque fois, il se trouvait quelqu'un pour dire que le phénomène était naturel et qu'il devait y avoir une explication. De l'arbre, les connaisseurs disaient que la brise lui passait au travers, qu'il avait le cœur pourri ; moi, je savais qu'il avait le cœur brisé. L'âme, l'esprit, le fantôme, nous ne gagnerions pas grand-chose à soutenir que cette histoire d'ourson était vraie ou fausse. Là n'est pas la question. En vérité, il faut y croire, tout simplement. Chaque coin de forêt a son histoire, ses drames, ses esprits. Réenchanter le monde revient à lui redonner sa part de mystère. S'il nous fallait raconter l'histoire de tout, nous en aurions, des questions à poser.

Les mystères de la foi ne sont pas près d'être résolus. Cependant la science, dans l'esprit des Lumières, a toujours voulu résoudre les problèmes, clarifier les phénomènes, expliquer la chose, éclaircir le mystère. En ce sens, la science est parfois rabat-joie. N'avons-nous pas tenté de réconcilier Dieu avec la Raison ? Pourtant, nous ne savons pas grand-chose de Lui et de son monde, tant de choses resteront à jamais inexpliquées, la Sainte Trinité, une mère qui donne naissance sans être engrossée, la colombe, l'enfer, la résurrection.

La Vérité se dérobe constamment aux yeux et au savoir de ceux qui ne supportent pas qu'une grande part du monde nous soit obstinément inaccessible. Le mystère est une leçon d'humilité. Nous n'expliquerons jamais tout : la nature de l'Univers, l'évolution de la matière, l'apparition de la vie, l'apparition de la conscience, le pourquoi de la mort, le sens d'une seule vie humaine, la véritable nature de l'intelligence humaine. Et j'en passe. Au contraire, plus nous en apprenons, plus nous découvrons l'étendue de notre ignorance. Plus le mystère s'approfondit. Alors le mystère, autant vivre avec, autant l'intégrer à nos philosophies. Il est énorme, le traité de notre ignorance, il est volumineux, le traité des mystères. Dans le bois, je choisis de croire, je me laisse aller aux secrets des lieux. Il faut raconter des histoires d'ours pleureurs, des histoires de lacs fantômes, d'esprits animaux qui flottent, qui dorment, qui se réveillent. Car autrement, lorsque la forêt n'est plus une énigme, on risque de les trouver bien longues et ennuyantes, nos petites promenades…

La solitude du tamarac

Tamarac est aujourd'hui un mot tombé en désuétude. Il désigne tout simplement le mélèze laricin, dit aussi mélèze d'Amérique. Ce vieux mot oublié, *tamarac,* est un peu comme le mot *mackinaw,* petit manteau d'automne, coupe-vent au dos gonflé, de forme arrondie. Lorsque nous sortions le matin, notre mère ne manquait pas de nous interpeller : « Avez-vous mis votre mackinaw ? Assurez-vous qu'il soit bien zippé, il fait très froid aujourd'hui ! » Par ailleurs, *mackinaw* est un mot algonquien signifiant « tortue », et voilà bien à quoi nous ressemblions dans nos mackinaws : des petites tortues en route pour l'école.

On ne dit plus « j'ai accroché mon mackinaw à une branche de tamarac », phrase jadis usuelle tirée de la vraie langue des bois. Le tamarac est un arbre aussi magnifique que résilient. Au printemps, il est d'un vert doux à vous faire croire à la tendresse ; à l'automne, la mélèzière se couvre d'or. En hiver, le mélèze feint d'être mort, dépouillé de ses aiguilles, sec et fragile, raide, recueilli sous son écorce de souffrance, nu. Dans la vastitude de nos terres nordiques, remontant humblement les latitudes, il atteint la limite des arbres, mais alors, il est nain. Dans les pays laurentiens, il atteint des tailles respectables ; chevelu, il est assoiffé de soleil. C'est là qu'on voit qu'au pays de la solitude, le tamarac tire son épingle du jeu.

Les branches du tamarac sont fines, on croirait voir l'arbre pleurer. Ce sont en vérité des brindilles le long desquelles pendent des cocottes. Ces cocottes miniatures sont des rosettes de bois, des clochettes suspendues dans le vide. Bien que ces clochettes soient nombreuses, je vois en elles la nature profonde de la solitude. Car être une rose de bois, toute petite, attachée à une longue brindille arcboutée dans l'air sauvage des forêts retirées, une petite boule tranquille qui voit s'endormir l'orignal au beau milieu de la poudrerie hivernale, qui entend fondre la neige au printemps, qui s'émerveille du retour des oiseaux d'été, qui s'enivre de toutes les facettes du silence, voilà bien qui représente la quintessence de la solitude.

Je voudrais être cette cocotte, suspendue dans le vide du plus profond des bois, quelque part entre le lac de la Hutte Sauvage et le lac Aticonac. Je serais la solitude de la renaissance, je porterais en moi les graines de la prochaine génération de mélèzes, je cacherais dans ma quiétude tout le savoir de la résilience, de la volonté de vivre, malgré le froid coupant, le vent dur, les temps mauvais, l'adversité. Je me plaindrais en silence, je pleurerais à l'écart, je résisterais jusqu'à devenir rabougrie, le dos rond, comme la tortue, je rentrerais en moi-même pour me couper du bruit du monde. La nature nous enseigne le recueillement, la patience, l'attachement.

Il est à noter que la tortue, comme le mélèze, vit très longtemps. Il faut croire que la solitude est bonne pour la santé. Cette longévité tient au silence qui règne à l'intérieur de notre carapace. C'est tranquille que l'on s'éternise. Voilà bien ce qui est écrit à l'intérieur des feuilles de la rose de bois. Car, vous le devinez peut-être, cette petite cocotte est un minilivre, un livre lu presque exclusivement par les mouches noires. Mille fois il y est écrit : « La vie ne tient qu'à un fil, le fil qui nous rattache à la branche qui nous soutient. » Nous sommes si nombreux à être seuls… soumis aux aléas du temps. Dans son immense solitude, la petite cocotte du tamarac ne dit jamais un mot. Cependant, elle en dit beaucoup.

Au pays de la solitude, le mélèze est un cache-chagrin et les cocottes suspendues à ses branches sont comme les grains usés d'un interminable rosaire.

L'ours savant et le langage

Un jour, ou était-ce simplement le soir, j'ai eu une longue conversation avec un ours noir. Je marchais dans un sentier magnifique qui louvoyait dans une vieille forêt du Nord, perdu dans mes pensées, heureux comme une bête en liberté, quand mon ours est apparu soudain au bas d'une pente. C'était un mâle adulte, juste assez gros pour m'intimider, et, de loin, il me reniflait. Sa tête allait de droite à gauche, le museau brun en l'air, comme s'il cherchait dans le vide un signe quelconque, le signe d'une présence inhabituelle. Finalement, il m'a repéré et, plutôt que de fuir, il a marché vers moi. J'étais seul et désarmé, j'ai choisi la stratégie du calme et, sans précipiter mon geste, je me suis assis sur une roche. Je voulais lui signifier que je ne représentais pas une menace pour lui. Il a dû comprendre puisqu'il s'est rapproché tout en maintenant une bonne mesure de distanciation sociale, et s'est assis à son tour. Nous sommes restés face à face sans bouger pendant un bon bout de temps. Dans le concert des grenouilles des marais, l'ours s'est mis à parler lentement. Il avait le ton d'un professeur grognon. Ensemble, lui et moi, nous avons discuté et sommes convenus de bien des choses.

Le premier langage est celui de l'Univers. Une des plus grandes conquêtes de l'esprit humain, c'est d'avoir finalement compris que ce langage était celui des mathématiques. Cela, l'ours l'ignorait puisque les ours ont la vue si basse qu'ils ne voient pas la Voie lactée. Alors, pour eux, le ciel est un impensé, l'Univers n'est pas un sujet, et l'infini encore moins.

Le deuxième langage est celui de la vie. La génétique se traduit dans un code que la science est parvenue à décrypter. Lorsque sont apparues les formes de vie les plus complexes, chez les animaux notamment, d'autres langages se sont mis à exister : des gestes, des mouvements, des positions corporelles, des cris modulés, etc. Qui nierait que les animaux communiquent entre eux ? Même les arbres et les plantes ont quelque chose à se dire. Sur ce point, l'ours était d'accord, il m'a semblé bien informé.

Ce soir-là, j'ai cru que l'ours lisait dans mes pensées. De mon côté, j'étais solidaire de son état d'esprit. Qu'est-ce qui peut bien trotter dans la tête d'un ours qui vagabonde dans la forêt par un beau soir d'été ? Et lui de se demander ce que pouvait bien vouloir dire un humain qui parle sans arrêt. Je finis par me dire que nous faisions tous partie d'un même voyage mystérieux. Je faisais avec mon ours ce que toutes les créatures font : communiquer. On dirait que depuis le big bang la matière cherche à s'exprimer. Elle a finalement trouvé dans le cerveau humain une manière de devenir immatérielle. Je pense, donc je parle. Le langage entretient avec la pensée des rapports extrêmement complexes. Car le langage, c'est tout ce que nous avons dans la tête qui cherche à se manifester à travers les mots, les phrases, les histoires que nous partageons. Mais qu'est-ce qui est venu en premier, la pensée ou le langage ? Imaginons les premiers hommes et les premières femmes dans l'heure qui a suivi le saut génétique, imaginons-les au lendemain de la mutation, se réveillant avec un cerveau pensant, capables de conscience, de réflexivité. En l'espace d'une nuit, la vie prenait conscience de la vie, et cette conscience se mettait à parler.

L'ours, qui m'entendait penser, se prit la tête entre les pattes. Il semblait vouloir me dire toute son admiration devant le langage des humains. Mais il trouvait que les phrases humaines constituaient un véritable casse-tête. Il était fatigué rien qu'à m'écouter. Il disait : « Si j'avais la conscience qu'ont les humains, je ne dormirais plus de tout l'hiver. »

La conversation terminée, l'ours repartit dans le bois. Avec toute la mauvaise foi dont il était capable, il se dit : « Le langage des humains embrouille autant qu'il clarifie. Mieux vaut grogner de joie que de parler pour ne rien dire. »

*   *   *

Dans ma vie d'anthropologue, j'ai traversé quelques galaxies culturelles. Chacune avait ses lexiques, ses tons, ses tournures, une façon marquée de communiquer et de s'exprimer, bref, chacune avait son langage. Je vais vous parler ici de deux de ces mondes.

Le premier que j'ai traversé était le monde innu. Alors qu'il traduisait les récits de son père Mathieu, mon grand ami Georges Mestokosho me confia les difficultés qu'il rencontrait : « Mon père parle le langage du territoire. Il utilise la langue des chasseurs. Son récit est rempli d'expressions anciennes qui me sont inconnues. Seuls les chasseurs et les femmes des chasseurs parlent cette langue innue classique, l'authentique langage des gens de la forêt. Pour moi, c'est difficile à comprendre, et toute ma génération a de la difficulté avec cette langue forgée à même les voyages et les territoires. » C'était en 1970, dix ans après la sédentarisation de la communauté d'Ekuanitshit. Déjà les jeunes, qui avaient connu le pensionnat, perdaient les subtilités de la langue traditionnelle. Ils n'avaient pas assez marché, portagé, canoté pour comprendre. Bien sûr, la langue innue a survécu et c'est aujourd'hui une langue bien vivante. Mais elle a évolué, elle s'est adaptée au monde nouveau.

Un deuxième univers qui m'a beaucoup interpellé est celui des camionneurs du Nord, chauffeurs au long cours, du temps de la construction des barrages de la baie James. Ils avaient un langage à eux, un langage étonnant qui traduisait leur vision du monde. Ils parlaient un français qui dérivait du vieux pays de l'oralité, ancien français des conteurs, ces inventeurs de langue, ces repousseurs des limites des champs sémantiques. Ce français provenait de la route et du transport, des moteurs et des machines, des distances et des fatigues, des contrariétés du métier, du temps, du ciel de nuit, des brouillards de l'aube. Cette langue parlait de force, de chargements, de routes coulantes, de montées, de coulées, d'attaches, de roues grippées, de neige follette, de glace blanche, de glace noire, d'endormitoire, de canisses, de frigidaires, de gears, de halages, de charriages, de pichous, de fuel, de beu, de bavard, de pinage en double et de combien d'autres expressions qui, mises ensemble dans une phrase ou une conversation, finissaient par être incompréhensibles aux oreilles des non-camionneurs. Certains linguistes américains qui se sont intéressés au phénomène ont appelé cela du « *trucker's lingo* ». On se soucie peu des prescriptions de la grammaire ou de la dictature du dictionnaire. La communication orale cherche plutôt l'efficacité à l'intérieur d'un métier. La société complexe est ainsi faite : elle multiplie en son sein les langues et les cultures.

Jankélévitch écrit que le langage humain n'est pas fait pour que les êtres se comprennent, mais bien plutôt pour brouiller les pistes. À propos d'un interlocuteur, combien de fois se demande-t-on : mais qu'a-t-il vraiment voulu dire ? Ce malentendu s'aggrave quand les métiers s'en mêlent et que l'on développe des langages à l'intérieur du langage, des langues à l'intérieur d'une langue. Le langage nous cache les uns aux autres, il est une ruse. Blaise Pascal allait plus loin. Il disait que ce qui réunit les humains, ce sont les malentendus sur lesquels ils s'accordent. Dès lors, la clarté et la précision n'ont pas la valeur qu'on leur donne. Nous ne voulons pas nous faire entendre. Nous voulons plutôt ajouter aux mystères de notre communication symbolique. L'être humain n'est ni un émetteur ni un récepteur, c'est un « malentendeur ».

*　　*　　*

Lors de mon dernier voyage en Colombie-Britannique, je me suis posé la question de la grande diversité des langues autochtones qu'on trouve dans cette province. Un peu perdu dans le jeu de la profusion, j'ai décidé d'en avoir le cœur net et d'en dresser la liste. Si la diversité linguistique est une richesse, alors la Colombie-Britannique a vraiment frappé le gros lot. En fait, on y dénombre vingt-six langues autochtones correspondant à vingt-six nations distinctes. S'il fallait les nommer, comme on récite un beau poème, on aurait la liste précieuse des peuples originaux de cette partie du continent malheureusement nommée Colombie-Britannique par des colonisateurs en manque flagrant d'inspiration. *Colombie* est en effet un toponyme qui existe déjà un peu partout et qu'on utilise à toutes les sauces, des noms des lieux jusqu'aux marques de commerce. Quant au mot *Britannique*, on sait bien ce que c'est. La réunion des deux termes, *Colombie* et *Britannique*, n'est pas une réunion heureuse pour qui aime les mots, la langue et la richesse toponymique. C'est la reine Victoria elle-même qui donna ce nom à la province, mais je ne crois pas que la reine Victoria ait été bien conseillée en la matière. Car c'eût été une belle initiative que de donner à la nouvelle province le nom d'une de ses nombreuses nations, dans une des langues d'origine.

Vingt-six langues autochtones, vingt-six noms de peuples, le tout se répartissant dans sept grandes familles linguistiques, quelle diversité phénoménale pour cette seule province ! Par comparaison, le Québec compte onze nations autochtones distinctes se répartissant en trois familles linguistiques. Nos petits Québécois les apprennent à l'école : la famille iroquoienne, la famille algonquienne, la famille inuk-aléoute. Demande-t-on le même exercice aux petits *British Colombians*? Ils devraient alors apprendre à distinguer les sept familles linguistiques amérindiennes dans lesquelles se classent les vingt-six langues de leur province. Sauraient-ils distinguer les langues salishanes des langues wakashanes, les athapascanes des tlingits ?

Durant ce voyage à Vancouver, j'étais bien décidé à établir une fois pour toutes la cartographie géopolitique autochtone de la Colombie-Britannique, mais force est d'admettre que la chose ne va pas de soi. Nulle part vous ne trouverez une liste, une simple liste des nations et des langues. Il en faut, des musées, des lectures, des livres, des recoupements et des liens pour finir par tirer l'affaire au clair. J'ai quand même pu la reconstituer, cette liste, après bien des efforts. Et je pensais à la fierté que devrait inspirer une telle richesse, à la reconnaissance des petits peuples, à l'importance de ces noms, je pensais aux écoliers de la Colombie-Britannique. Sauraient-ils décliner ces nations et ces langues : Haïda, Kakwakakwa, Tsimshian, Sewempem, Ktunaxa (Koutenai), Giktsan, Nishga, Huisla (Kitimat), Hillsix (Bella Bella), Nutshalnut (Nootka), Chilcoutin (Chilkoot), Dakal, Wetshiwetin, Sekani, Denayza, Denayta,

Talhtan, Kaska, Tagish, Nuhalk (Bella Coola), Inklupkamu, Okanagan, Squamish, Cowichan, Shihal, Tseloulut ? Il me vient cette phrase à l'esprit : si je ne sais pas ton nom, je ne sais pas qui tu es. Nommer une chose revient à la mettre au monde. Ne pas la nommer, c'est l'ignorer. Plutôt que d'appeler cette province Colombie-Britannique, pourquoi ne pas l'avoir baptisée Haïda ou encore Okanagan ? La langue est une grande manière d'être. Je parle, donc je pense, ce qui finit par nous faire dire : je pense donc je suis. Une bonne partie du « qui suis-je » se retrouve dans l'expression de sa langue maternelle. La langue est une carte d'identité. Or il y a encore six mille langues maternelles différentes sur la terre, et chacune a la tendresse d'une mère, justement.

Les travaux et les jours

Une poignée de charbon

Lorsqu'elle parlait de la vie en général ou de la sienne tout simplement, ma mère dramatisait tout, saupoudrant le tragique tout au long de ses souvenirs. Entre mille misères, elle avait quand même un faible pour un événement en particulier, l'époque de ces années terribles qu'elle appelait familièrement « la crise ». Oui, « dans l'temps d'la crise », en 1929, il s'en était passé, des choses marquantes, inimaginables. Ce fut le grand « *crash* », l'effondrement des marchés, la perte des grandes fortunes, les hommes d'affaires qui s'enlevaient la vie en se lançant par les fenêtres des gratte-ciel, symboles de la haute finance. Les pauvres, d'ordinaire résilients, le furent plus encore. Ces débrouillards de l'extrême chauffaient le poêle en hiver avec des boulettes de papier mâché. Une poignée de charbon valait son pesant d'or. Ma mère, qui avait dix ans en 1929, avait déjà survécu à la grippe espagnole et à la tuberculose des pauvres qui fauchait tant de vies. Fillette, elle quêtait des retailles et des abats dans l'arrière-boutique des bouchers. Tout était pauvre, le quartier, les logements, les parents, et l'esprit même du gouvernement. Dans la famille de ma mère, deux enfants sur quatre étaient morts de misère, deux belles jeunes filles, victimes des duretés du « Faubourg à m'lasse » en temps de crise. Sa propre mère était morte alors qu'elle n'avait que trente ans.

Dans ce monde de deuils et de tristesses, de vie ou de mort, ma mère survécut ; contre vents et marées elle devint une jeune femme. Mais il y eut de nombreuses crises dans la vie de cette femme inquiète, qui a vécu quatre-vingt-quatorze ans sur terre. Elle a connu la guerre, l'effort de guerre, les rationnements, les grandes incertitudes de 1945. Elle a connu la grippe asiatique de 1957, une pandémie mondiale dont les ravages et les mortalités n'ont été ni comptés ni véritablement aperçus par les autorités de l'époque. À travers tous ces soubresauts, le fleuve intranquille de la vie de ma mère poursuivait son long parcours. Vinrent ensuite la crise des missiles de Cuba, alors que le monde a été à quelques minutes de connaître une guerre nucléaire entre l'Union soviétique et les États-Unis, puis, en 1970, la crise des enlèvements du FLQ, la présence de l'armée fédérale dans nos rues, le pouvoir discrétionnaire de la police dans nos vies, les violations de domicile, les fouilles, les interrogatoires, bref, une inoubliable tourmente politique. Ensuite il y a eu la crise cardiaque de mon père, dont il est mort rapidement. Et je ne dis rien des glissements de terrain à Saint-Jean-Vianney, de la journée du déluge et des barrages brisés, des mois du verglas, du bogue de l'an 2000 (qui n'a jamais eu lieu), de la crise du climat. Ainsi, de crise en crise, la vie de ma mère s'en est allée. Mais elle n'a jamais renié ses origines, sa référence, sa mesure : la crise de 1929. Là, à l'âge de dix ans, elle avait connu le pire, rencontré le diable en personne, elle avait été témoin de la fin du monde. Et toutes les crises ultérieures avaient été pour elle des incidents de parcours.

Si elle vivait encore, je crois que devant la pandémie de COVID-19 elle aurait maintenu son discours sur « la crise », la seule et vraie crise. Je l'entends me répéter que c'était bien pire en 1929. Car dans ce temps-là, contrairement à aujourd'hui, il n'y avait pas de manger, il n'y avait pas d'argent, même pas une cenne noire dans les poches des pauvres, il n'y avait pas de chauffage en hiver, il n'y avait pas d'aide du gouvernement, il n'y avait ni compassion ni atermoiements. Les crises sont comme des tremblements de terre. Il en est des petits dont les secousses sont à peine ressenties. Il en est des gros qui détruisent des villes comme San Francisco. Dans tous les cas, il s'agit de corrections, de fractures résultant de hautes pressions et de frottements dans les couches profondes de la terre. La nature rétablit des équilibres, elle corrige la surchauffe. Elle nous enlève cette poignée de charbon, elle nous rabaisse le caquet, pour que nous apprenions une grande leçon. Mais laquelle ? Voilà la question.

Les travaux et les jours

Le courage, c'est le pêcheur qui prend le large durant la nuit. Pour nourrir sa famille, il affronte sa peur du vent, du noir, il ignore l'agitation de la mer, il s'encourage, il chante une chanson ancienne, et son bateau s'appelle *Adéline*, le nom de sa femme. Il a appris à surmonter ses peurs à force de départs et de retours. Sa première tempête lui a glacé le sang, la seconde un peu moins, et son courage est devenu une habitude, un savoir-faire, une manière d'être.

Le courage, c'est une vieille Algonquine qui pose des collets à lièvres, espérant un ragoût, espérant des mitaines d'enfant. Au retour, il faudra gratter la petite peau, la ramollir, puis coudre, avec la patience millénaire de l'artisane, coudre en rêvant à des collets magiques. Elle suit les petits sentiers dans l'océan des épinettes, elle pose patiemment ses pièges, à genoux dans la mousse gelée, alors qu'elle a froid aux os, comme toutes les petites vieilles. Mais l'enfant, lui, aura les mains au chaud, parce que grand-mère y a vu.

Le courage, c'est une autre femme qui travaille de nuit pour que ses enfants ne manquent de rien, le jour, à l'école. La nuit est plus payante et les enfants dorment. Elle, la mère, brûle la chandelle par les deux bouts, elle ignore la fatigue, elle apprivoise cet état d'épuisement, elle tient le coup. Mais pour elle, la vie est un combat, et il faut continuer le combat, pour la santé de ses petits.

Le courage, ce sont les travaux et les jours, que ce soit à l'époque des Romains ou dans le temps d'aujourd'hui, des travaux d'embellissement, des travaux nécessaires, des journées bien remplies, à Rosemont comme à Rome. Dans le traité du courage, je pense souvent aux colons qui ont défriché des forêts d'épinettes noires, à travers les escadrons de mouches noires, je vois ces familles pauvres photographiées devant des abris de fortune. Il y a du courage dans tous ces yeux qui rêvent, dans la tête de tous ceux qui, sur le seuil d'une cabane en bois, rêvent d'une maison chaleureuse avec une grande galerie, quelques fenêtres mansardées, une belle terre bien cultivée, une grange au toit rouge, des enfants et des poules plein la basse-cour.

Les pages défilent. Le courage, c'est le routier qui part pour le Kentucky, le dimanche midi, alors que le temps est mauvais, que la neige court sur l'asphalte et que le vent brasse la remorque. C'est l'écrivaine qui rédige la première ligne d'un long roman, anticipant l'angoisse, la fatigue, les découragements. Ce sont les petits matins, les longues soirées, les nuits d'insomnie. C'est l'effort de faire le premier pas, d'écrire le premier mot, la première phrase.

Le courage, c'est de planter ses pieux, parce qu'il faut planter ses pieux, même si la force nous abandonne ; et des pieux, il y en a des tas. C'est planter un petit chêne devant sa maison, même si on a soixante-quinze ans, un chêne que l'on ne verra pas grandir, mais qui grandira année après année, arbre noble qui étire le temps, qui conserve la mémoire, et qui ne bouge pas. Avez-vous déjà vu un arbre abandonner son poste ?

Le courage, c'est de gravir une montagne, une fois, cent fois, mille fois, sans jamais rien dire à personne. Aller à l'autre bout du monde, en revenir, et garder le silence sur ces longs voyages. C'est le premier kilomètre, c'est le dernier kilomètre, et ce sont tous les kilomètres qui défilent entre les deux. C'est se rendre à l'hôpital ou à l'hospice, prendre soin des vieux, des malades, des blessés, jour après jour, nuit après nuit. C'est le médecin qui annonce une mauvaise nouvelle à son patient, et c'est celui ou celle qui la reçoit. Le courage, c'est le pays de ceux qui soignent, qui veillent et bienveillent, qui accompagnent tous ceux et celles qui refusent d'abandonner.

Cherchons le vrai courage dans la routine, dans l'engagement, dans les travaux et les jours, quasiment dans l'amour. C'est une grande vertu ordinaire. Nous ne serons pas sauvés par Clint Eastwood ou par Wonder Woman. Nous n'avons jamais été sauvés par Hercule ou par l'épée du roi Arthur. Voyez plutôt nos vrais héros : les camionneurs, les agriculteurs, les infirmières, les enseignantes, les bricoleurs et les bricoleuses, les médecins, les informaticiens, les soudeurs, les électriciens, et nous tous qui faisons tourner le monde, sans en faire tout un plat.

Le supérieur immédiat

J'arrivai au siège social d'une compagnie de camionnage à Rouyn-Noranda, muni d'une lettre de l'université confirmant que j'amorçais une recherche doctorale en anthropologie sur les chauffeurs de *van*. Le cadre intermédiaire qui me reçut dans son bureau prit connaissance de ma démarche et me fit cette déclaration surprenante : « Je ne comprends pas ce que vous cherchez. Que voulez-vous apprendre des chauffeurs ? Ce sont des gens sans intérêt, on sait déjà qu'il faut être malade pour faire un métier pareil. Si on n'est pas fou en commençant, on le devient dans pas longtemps. » Cet homme était gérant de la flotte, c'était le supérieur immédiat des chauffeurs.

J'ai toujours été fasciné par le concept de « supérieur immédiat ». D'où vient cette idée saugrenue qui confirme la supériorité du supérieur ? Voilà une peste de la pensée paresseuse qui insinue que, dans tous les cas, le supérieur est au-dessus de l'inférieur. Pourtant, cela ne correspond en rien à ce que j'ai observé durant toute ma vie dans mes itinéraires en entreprise : il arrive très souvent que le supérieur immédiat soit très inférieur à l'inférieur qu'il prétend dominer. Mais ce serait scandale de le reconnaître. Jadis, on disait du roi qu'il était au-dessus de son peuple, sous tous les rapports. Proposition comique s'il en est, surtout quand on pense à ces « malades qui nous gouvernent ». Pourquoi lui

entre tous ? Tout simplement parce qu'il en faut un. Le roi
est nu, en vérité, c'est un humain comme les autres, un être
ordinaire qui joue la mascarade. S'il nous faut un roi, espérons qu'il saura jouer son rôle, espérons que le roi ne se
prendra pas pour un autre.

Nous sommes prisonniers de la géométrie de la pyramide, avec sa base bien étalée et son sommet pointu. En
matière de mépris, on admettra que la hiérarchie est mère
de tous les vices. Il semble que la loi consiste à regarder de
haut tout ce qui est autour de soi. On ne veut plus vraiment
être au sommet de son art, on veut être au sommet de son
pouvoir. De haut, on pourra mépriser à sa guise, on pourra
donner des leçons, on pourra, l'expression le dit si bien,
« écœurer le peuple ».

Le métropolitain méprise la région, comme jadis les
gens de la ville méprisaient les gens de la campagne et ceux
du village méprisaient les habitants du dernier rang. Il y a
toujours quelqu'un plus bas que soi, quelqu'un sur qui rejeter sa mauvaise foi, le pauvre, le petit. Dans les grandes orga-
nisations, le phénomène est incroyablement installé. Il y a
des patrons, des gardes rapprochées, des cliques et des
bandes, des dominants et des dominés. Tous acceptent le
principe de la hiérarchie, finissant par croire dur comme fer
que cette échelle est fondée sur la valeur des personnes.
Nous acceptons docilement l'idée que le supérieur immédiat est toujours plus intelligent que son inférieur
immédiat. Ce qui signifierait qu'un patron a immanquablement plus de valeur qu'un artisan de la base. Le patron des
services d'autobus gagne beaucoup plus que le chauffeur
d'autobus. Il nous faudrait croire qu'il est immensément
plus précieux que le chauffeur, qui, lui, est un rouage sans
importance. A contrario, on souligne rarement qu'il faut de
bons chauffeurs d'autobus pour avoir un bon service d'autobus. Pire encore, nul ne souligne que le métier pourrait

bien être aimé par celui qui le pratique et que, par conséquent, l'artisan ne voudrait pour rien au monde devenir un cadre ou un supérieur. S'il est une chose que ma thèse de doctorat sur les camionneurs m'a montrée, c'est combien le gérant de la flotte qui méprisait les chauffeurs était dans le champ, très loin de la raison de son métier.

Montaigne disait : plus on monte, plus on montre son cul. Le philosophe nous mettait en garde contre l'obsession d'impérativement gravir l'échelle. Je crois pour ma part qu'il n'est rien de supérieur dans le grade. Les généraux ne sont grands que s'ils reposent sur la valeur de leurs soldats. Or, cela n'existe pas, un simple soldat.

* * *

Je me suis toujours interrogé sur ces vendeurs qui s'adressent aux clients à grands coups de « que puis-je faire pour vous, chef ? » et de « c'est beau comme ça, capitaine ? ». Le faux clin d'œil est malaisant, il exprime une solidarité de « mononcle », une familiarité de mauvais aloi. Car je n'ai jamais entendu une vendeuse utiliser pareille tactique. « On fait le plein, patron ? » est une formule réservée à un seul genre, du moins me semble-t-il. Dans une société patriarcale, on doit obéissance à la figure paternelle. Il te suffit d'être un père de famille pour être le chef de la famille, n'est-ce pas ? Et que dire du parrain ? N'est-il pas le petit caporal de son petit monde ? Le chef du clan ? Le patron n'est pas un « matron ».

Le père de la nation, le petit père du peuple, le président-directeur général, le chef du conseil, tous ces titres relèvent d'une gradation éminemment suspecte. Ce sont des statuts, des titres, des postes que l'on pourvoit, des grades justement, les barreaux de l'échelle. Or l'autorité statutaire est le cancer qui ronge tous nos rêves d'un monde meilleur. En vérité, c'est une terrible maladie qui consiste à donner du crédit à quelqu'un du moment qu'il possède un statut. Beaucoup trop de gens croient que le seul fait d'être patron vous confère du génie. Voilà bien la plus grande supercherie de l'histoire humaine. Heureuse l'organisation qui compte sur des patrons et des patronnes qui sont des autorités incontestables, des êtres carburant plus à l'influence qu'au pouvoir.

Car, justement, il ne faut pas confondre l'autorité authentique avec le pouvoir. Qui croirait que le roi de France, disons Louis XIV, avait de l'autorité ? Il disait détenir le pouvoir divin, ce qui est une fumisterie. Ce genre de chefferie sera toujours une farce tragique, un étalage dérisoire de singeries et de simagrées. Voilà ce que je ressens quand je vois le cortège d'un homme d'État, le bureau d'un grand patron, les privilèges ostentatoires des boss.

La véritable autorité, la bonne autorité, l'autorité exemplaire est, elle, qualitative. Elle n'a rien à voir avec l'organigramme ou le pouvoir, ni avec les cérémonies ou les manifestations de statut. Cette autorité-là n'a pas de couronne, elle ne gagne pas des millions de dollars par année pour diriger une banque ou une chaîne de hamburgers. Elle a plutôt quelque chose à voir avec la sagesse et la crédibilité. Dès son arrivée en Amérique, Samuel de Champlain se trompa sur le supposé statut des chefs indiens. Chez les Montagnais, comme chez les Hurons, nul ne détenait l'« autorité ». Les chefs étaient plutôt des guides, choisis pour leur éloquence, leur savoir-faire, leur bon jugement, leur générosité. Plutôt que des ordres, ils donnaient des conseils. Plutôt que de leur obéir, on choisissait de les suivre…

S'il vous plaît, ne m'appelez jamais « chef », « patron », « commandant » ou « capitaine ». C'est plus un agacement qu'un compliment. Car je n'ai d'ordres à donner à personne. Mais que ma fille se demande, en des circonstances difficiles, ce que ferait son père ou sa mère à sa place, cela s'appelle « l'autorité parentale » : une vraie autorité. Par un paradoxe étonnant, celui qui détient une véritable autorité n'est pas autoritaire. C'est une figure qui s'impose tout naturellement... sans jamais s'imposer.

Le nid-de-poule et le col-bleu

À qui bien veille rien n'échappe. Là où le malveillant détourne le regard, le bienveillant va au-devant des choses. Un col-bleu qui bien veille sur sa ville fera un grand plat d'un seul nid-de-poule. En patrouillant, il voit le trou dans l'asphalte, il appelle d'urgence ses supérieurs, il mobilise la fonction municipale, il faut que ce trou soit réparé sur l'heure. Poussant plus loin sa bienveillance, il voit à ce que la restauration soit parfaite et bien faite. Et de la même manière, pendant que les travaux se font, notre col-bleu, bien veillant sur sa ville, aperçoit un vieil arbre mort ou en train de mourir, coin Saint-Denis et Cherrier ; il appelle les services botaniques de la Ville pour que l'arbre soit rapidement abattu et remplacé par un jeune érable argenté qui mettra soixante-quinze ans avant d'atteindre sa majesté. Vu le temps que cela prend, il est urgent de le planter et de voir à le bien planter. Poussant sa chance et ajoutant à sa veille, notre col-bleu pourrait signaler au service de la voirie que la ligne blanche continue ou pointillée au milieu de la rue Saint-Denis n'a pas été repeinte depuis trente ans. Manquons-nous de peinture, manquons-nous de pinceaux ? De la même manière, notre col-bleu bienveillant ne dormira pas la nuit si les trottoirs sont glacés en hiver. Il voudra les sabler, les saler, les déglacer par tous les moyens du monde. Et c'est ainsi que le travail d'un col-bleu bienveillant n'est pas une sinécure.

Dans la cour d'école, l'enseignante bienveillante remarque l'enfant solitaire qui se fait intimider. Elle remarque un enfant dont le lacet est dénoué, elle ne détourne pas le regard, elle se penche pour nouer le lacet de soulier. Cela n'est pas dans sa description de tâche, mais cela fait longtemps que notre enseignante a fait exploser cette description. Elle noue les lacets, mais elle dénoue les chicanes d'enfants, elle raisonne et sépare les petits belligérants, elle assure la paix. Même chose pour les soins dispensés aux vieux et aux vieilles vulnérables et démunis de notre monde. La bienveillante voit à tout, elle remarquera une peau sèche, une plaie, une angoisse particulière. Là encore, elle ira bien au-delà de sa description de tâche, afin de porter de grandes et de petites attentions à l'égard des personnes. D'ailleurs, ses soins sont naturellement personnalisés ; elle connaît par son nom chacun des individus du plancher.

Mais qu'arrive-t-il quand le col-bleu bienveillant se fait rabrouer, voire intimider par ses collègues pour avoir fait un « excès de zèle » ? Que se passe-t-il si ses supérieurs ignorent ses appels et que le nid-de-poule n'est pas réparé, que l'arbre n'est pas planté ? Notre col-bleu se sentira bien seul avec sa bienveillance. Ce sera une sensibilité perdue, pire, une sensibilité frustrée. Il sera peut-être en colère, ce qui pourrait éveiller chez lui de la malveillance, sinon du découragement. Que se passe-t-il quand une enseignante bienveillante se fait rabrouer par des petits garçons monstres qui ne respectent pas les femmes pour des raisons culturelles et religieuses ? La bienveillance peut alors laisser place à de l'indignation, et cette indignation peut entraîner une certaine désillusion. Bref, que devient la bienveillance dans une société qui carbure à la malveillance ?

Il n'est pas de solution simple à cette malheureuse dysfonction. Je crois que nous pourrions partir du principe qu'il n'est pas de bienveillance sans autorité. Il faut que le bienveillant garde sa garcette dans la poche arrière, qu'il se souvienne qu'il y a « des coups de pied au cul qui se perdent ». Le bienveillant doit avoir les moyens de sa bienveillance. Car si l'élève insulte le professeur, si le grabataire insulte son aidant ou son aidante, alors la bienveillance doit faire une pause salutaire pour laisser place à l'indignation. Et l'intensité de l'indignation est à la mesure de la bienveillance.

Oui, à qui bien veille rien n'échappe, y compris la mauvaise foi et la méchanceté bête des humains. Que faire alors sinon libérer les forces de la colère du bienveillant, la pire de toutes les colères, puisqu'elle provient d'un cœur tranquille et généreux ? On appelle cela une « sainte colère », avec raison.

Desneiges Moenen Mestokosho, la bienveillante

Desneiges Moenen était une Mestokosho. Aux heures les plus sombres de la communauté, alors que les meilleurs hommes sombraient dans l'alcool et le désœuvrement, alors que les meilleures femmes faisaient de même, au point le plus aigu de cette période noire et violente où les enfants revenaient des pensionnats brisés, étourdis, que le gouvernement fédéral construisait des maisons afin de sédentariser une fois pour toutes ce peuple nomade et que la bande entière était à la dérive, perdue et découragée, l'humble Desneiges entreprit l'impossible, c'est-à-dire renverser le cours du destin. À la tristesse profonde, au désarroi collectif, à la désorganisation tragique, elle opposa les forces vives d'un véritable redressement. Elle ne fit pas de discours politiques, elle ne fit pas de politique tout court, sachant d'instinct que cette voie était un piège, un marécage où elle allait se perdre à coup sûr. Elle commença par faire valoir la fierté de sa langue maternelle, l'innu-aimun, travaillant seule à son étude et à sa promotion, en un temps tout récent où cette langue n'était respectée de personne.

Elle s'attela ensuite aux enjeux quotidiens. Un jour que je m'assoyais à sa table, j'allumai une cigarette. Elle me dit : « On ne fume plus dans ma maison ; si tu veux fumer, Kaouistut, va sur le balcon. » La proposition était révolutionnaire puisque les gens fumaient partout sans restriction, comme des cheminées. Desneiges était au courant de l'évolution de la société à l'égard de la cigarette. Mais son travail était encore plus profond : elle s'occupait de ses enfants dans le détail d'une bonne éducation compte tenu du contexte de leur nouvelle vie. Les jeunes devaient prendre l'école au sérieux, étudier, faire leurs devoirs. Ils devaient se coucher tôt, manger trois repas par jour, Desneiges voyait à la qualité de l'alimentation. Elle lisait, posait des questions, ajustait ses interventions. Hygiène, discipline, bonne alimentation, éducation, fierté, voilà qui résume les lignes principales de son travail auprès de ses enfants.

Dans une situation désespérée où trop de monde s'autodétruisait, Desneiges pratiquait la bienveillance. Elle veillait sans relâche sur sa marmaille et sur son monde, elle voulait que ses enfants soient heureux, en santé, beaux, en pleine maîtrise de leur vie. Dans mon souvenir, cette femme était en elle-même l'incarnation de la bonté.

Non, Desneiges n'a pas manifesté dans les rues, elle n'a pas brandi de pancartes. Elle a agi plutôt, au jour le jour, dans la quotidienneté de sa maison, dans sa communauté. Car l'action de Desneiges, la pionnière en matière de fierté retrouvée, fit boule de neige, et d'autres femmes autour d'elle commencèrent à l'imiter. Refusant de faire partie des éternelles victimes, chacune décida de contribuer à la construction d'une société nouvelle. Autant Desneiges était ouverte sur le monde, autant elle honorait la tradition des anciens Innus. Elle respectait la langue, la spiritualité, le territoire, les histoires et les légendes. J'ai tant aimé cette femme remarquable, qui regardait devant, qui transportait la mémoire aussi, qui respirait la bonne intention, et, encore aujourd'hui, je pense à elle quand je pense à la bonté. Desneiges est malheureusement morte trop jeune, victime d'un méchant cancer.

Mais les héritières de Desneiges se sont multipliées. Elles ont écrit des poèmes et des livres, elles ont fondé une maison de la culture, organisé des formations diverses, de nombreuses thérapies collectives contre les drogues, les addictions et autres dépendances, elles ont gardé le fort de l'éducation moderne et de la transmission de la tradition, et les enfants de la communauté sont devenus une impressionnante force d'avenir. La bienveillance de Desneiges a retourné le destin malheureux des Innus d'Ekuanitshit à l'envers. À présent, tous les espoirs sont permis.

Bien voir à ses enfants revient à bien voir à la vie, car tout se construit selon l'attention que l'on porte à nos petits. Desneiges est venue au monde dans le bois, au plus creux de l'hiver, sur les rives d'un lac enfoui sous un épais tapis de neige, d'où son nom. Ce lac pourrait s'appeler : « Là où est née Desneiges de la Réparation. »

Dans les cales du navire

Me voici à l'urgence de l'hôpital de Maria, dans la baie des Chaleurs. Pendant un court voyage de vacances en Gaspésie, une vilaine bactérie s'est invitée sous ma peau, et j'ai été infecté. Je devrais dire « dangereusement infecté », car ce streptocoque était sur la voie de pénétrer plus encore dans mon système, risquant de déclencher une péritonite, mot satanique que redoutent les médecins. Cela se passait au temps des plages et des roulottes, au temps des fruits de mer et des morues heureuses. On avait l'impression que le monde entier se reposait. Mais pas l'hôpital, comme j'ai été à même de le constater en me présentant à l'urgence, à mon corps défendant, menotté par Marie, ma femme.

Une infirmière était en poste qui triait sur le volet chaque patient ; elle a reconnu mon cas, du moins son « urgence », comme c'était écrit en gros sur le mur de l'entrée. Rapidement, j'ai vu une femme médecin qui, d'autorité, m'a hospitalisé. La prise en charge a été intense : installé dans un cubicule sans fenêtre, aux murs gris, j'ai été assailli de bienfaiteurs, des infirmiers, des préposés, l'un prenant mon sang, l'autre ma pression. Sans tarder, la médecin a livré le diagnostic : infection galopante dangereuse. On m'a posé immédiatement un cathéter pour des infusions intra-veineuses d'un puissant antibiotique. De téléphones entre collègues en rapides consultations des fichiers informatisés, la médecin a connu en quinze minutes mon histoire médicale complète, depuis ma naissance jusqu'à mon déclin.

J'ai passé quarante-huit heures à l'hôpital de Maria, constamment soigné par des infirmières et des infirmiers dévoués. C'était maintenant la nuit. À trois heures du matin, l'urgentologue revient me voir, elle m'examine comme si de rien n'était, et je lui dis : « Que faites-vous encore ici en pleine nuit ? » Elle répond : « Ça fait seize heures d'affilée que je suis au poste, une heure de plus, une heure de moins… Je vous avais bien dit que je ne vous oubliais pas… » Je ressens toute sa fatigue, je ressens toute sa passion. À l'extérieur de mon refuge, j'entends des voix. À longueur de nuit, patiemment, les infirmières répondent aux patients désorientés, elles rassurent les vieux, les vieilles, qui ne savent pas où ils sont ni pourquoi ils sont là, elles voient au bien-être physique et psychologique des gens vulnérables, elles tiennent des petits caucus sous l'éclairage d'une lampe de coin. Cela parle et murmure, toute la nuit.

Toujours couché sur la civière, je n'ai ni téléphone ni écrans. Pas moyen de lire, de dormir, de m'informer. Il me reste donc le plongeon en moi-même, du temps pour méditer. Et voilà le travail, me dis-je, le travail véritable, le travail en pleine face ! Ces gens sont de garde, de nuit, de jour, de soir, en équipes qui se relaient sans que jamais leurs soins ne se relâchent. Voici le quart de nuit, de nouvelles figures arrivent sur le plancher des urgences, elles enfilent l'uniforme du travail, des blouses vertes, elles consultent les nouveaux dossiers, les voici sur la ligne. Je n'ai pas compté leurs pas ni comptabilisé leurs interventions ; je n'ai fait que ressentir leur présence. Alors qu'elles sont en train de prendre les signes vitaux de tous leurs patients, de prélever du sang, de préparer des médicaments, de voir aux traitements, les jeunes femmes infirmières jasent entre elles de leurs enfants, de la garderie, de l'école, de voyages, de vacances et de la vie.

Ce sont des mères qui travaillent de nuit. Médecins, infirmières, infirmiers, préposés à la propreté, techniciens, ambulanciers, ils sont tous là, tous les jours, les matins d'hiver, les longues nuits d'automne, on les appelle des « travailleurs de la santé ». Je me prends à délirer, les yeux fixant le plafond de ma cellule. Ferais-je ce travail avec autant de fidélité et de constance, jour après jour, serais-je capable de faire de l'hôpital mon second pays, de refaire les mêmes pansements, de redire les mêmes paroles de consolation, de poser les mêmes gestes ?

Une société moderne, pour être soignée et bien entretenue, pour bien rouler, de l'ambulance et des camions jusqu'au moindre autobus, a besoin de beaucoup de monde, des travailleurs de l'ombre, j'imagine. Peu reconnus, peu célébrés, ils sont comme ces mécaniciens dans les cales des navires de croisière, réparateurs invisibles qui ne voient pas beaucoup le ciel des Caraïbes, mais qui font pourtant avancer le navire.

Panser les plaies

*La santé est un état précaire qui ne présage
rien de bon.*

V. JANKÉLÉVITCH

Je repense souvent aux origines de l'Hôtel-Dieu de Montréal ou à l'histoire des Augustines de Québec. À l'époque de
la Nouvelle-France, ces hôpitaux répondaient à la définition
même des mots *hospitalière* et *hospitalier*. C'était une question de bon accueil, de merci, de pitié. Là, il fallait véritablement accueillir, abriter, garder au propre et au chaud, nourrir, soigner, accompagner, laver, et prier pour les âmes de ces
malheureux malades qui, en général, venaient mourir dans
les bras des sœurs soignantes. On ne parlait pas beaucoup
de guérir en ces temps-là, on parlait plutôt de prendre soin.
Il n'y avait pas encore de médecins tout-puissants (ou
impuissants, c'est selon). Il n'y avait pas de médecine orga-
nisée. Les sœurs soignantes faisaient ce qu'elles pouvaient,
dans le sacrifice, l'anonymat et la dévotion la plus totale.
Elles lavaient les malades, leur faisaient boire de la tisane,
des émulsions d'herbes médicinales, réconfortaient les
infortunés, les encourageaient, leur parlaient du ciel, du
paradis, de la fin des souffrances, d'une mort bienheureuse.
Elles s'occupaient dignement des âmes.

Personne ne voudrait retourner en ces temps-là. Depuis Jeanne Mance, la médecine a multiplié nos moyens par mille. Désormais, on répare, on remplace, on prolonge la vie, on atténue le mal, on sauve tous les jours des vies qui, jadis, auraient été perdues. Notre conception de la santé s'en est trouvée bouleversée. Les attentes sont devenues très grandes, pour ne pas dire démesurées : quand on voit le médecin, on se croit déjà sauvé, pire, on demande à être sauvé. Autrefois, la venue du médecin annonçait une mort prochaine, aussi certaine que la vue de l'aumônier avec ses extrêmes-onctions. Aujourd'hui, le monde de la santé est devenu un énorme système, notre assurance la plus belle. Tous et toutes ont droit à des soins de qualité.

Dans cet enthousiasme du progrès, a-t-on fini par oublier que, médecine ou pas, nous vieillissons ? D'ailleurs, plus la médecine réussit son coup, plus nous vieillissons. Cela multiplie les maladies incurables. La vie elle-même n'est-elle pas une maladie incurable ?

La pandémie de COVID-19 et ce qui est arrivé aux gens âgés auront remis les pendules à l'heure. Nous revoilà humains. Nous ne sommes pas invulnérables, bien au contraire. Et quand on devient vulnérable, outre la médecine moderne, on a aussi et grandement besoin d'humanité, de présence, de soins d'accompagnement, de petits soins. Nous ne sommes pas des statistiques, des cohortes, des spécialités. Au front de ce choc, je dirais de cet électrochoc de l'histoire, ce sont des personnes humaines qui se présentent sur la ligne. Sous leurs masques et leurs habits verts ou bleus, on retrouve les soignants et les soignantes des temps anciens. Ces personnes s'impliquent avec le courage de l'urgence, elles font face à tous les risques devant l'inconnu, elles sont là. Et il y a une différence énorme entre « être là » et « ne pas être là ». Ce travail demande un supplément d'âme. À leur vue, des mots obsolètes, qu'on croyait morts depuis des lunes, renaissent et nous viennent à l'esprit : *dévouement, amour, altruisme, cœur, courage, compassion.* Quand la pandémie fait rage, nous saluons tous les travailleurs et travailleuses de la santé. Mais saurons-nous le faire encore demain, quand la poussière retombera ? Saurons-nous apprécier encore l'humanité de ces métiers, la mystérieuse touche d'empathie et d'amour qui fait toute la différence dans l'infirmerie ? Bref, saurons-nous répondre à l'urgence de ne plus jamais négliger le principal ? Les anciennes Augustines s'y retrouveraient encore. L'attention à la souffrance est une émotion intemporelle. D'une manière ou d'une autre, même si nous descendions dans la rue pour manifester notre reconnaissance et notre admiration, elles et ils n'auraient pas le temps de recevoir nos fleurs. Trop occupés à panser le monde, une âme à la fois.

Caroline

Je ne sais où, dans quel local terne aux murs beiges, on a décidé un jour d'appeler les maisons pour aînés des CHSLD. C'est probablement le même comité de bureaucrates qui a instauré l'acronyme CPE, trois lettres absurdes qui viennent tuer la si belle expression de « petite enfance ». Commencer son existence dans un CPE et la finir dans un CHSLD, voilà tout un projet de vie ! On dit « CHSLD » pour neutraliser le sens, pour ne pas avoir à dire « hospice pour les grabataires » ou, comme disait ma vieille mère à l'instar de beaucoup de monde, « mouroir ». Il y a confusion entre la maison de retraite et la maison de l'oubli. Juste à dire cet acronyme barbare, CHSLD, on tremble à l'idée d'y aller. Car la question se pose : est-ce ainsi que les humains meurent ?

Ma mère a vécu presque cent ans. Vers la fin, elle combattait un diabète depuis plusieurs années. Mais elle combattait aussi et surtout la vieillesse, comme tous ceux et celles qui ne meurent pas et s'éternisent, témoins d'un naufrage inéluctable, la fin d'une vie. Fière, orgueilleuse et indépendante, comme la majorité du monde, elle a dû graduellement faire le deuil de ses jambes, de ses yeux et ainsi de suite. Elle n'était pas gravement malade, c'est juste que son corps lâchait, un morceau après l'autre. Nous l'avons gardée à la maison, dans notre famille, aussi longtemps que nous l'avons pu. Ses arrière-petits-enfants venaient jouer dans sa chambre, une belle chambre aménagée par son petit-fils. Elle leur donnait des biscuits en cachette et eux, petits enfants sans filtre, s'amusaient à toucher la peau flasque de son avant-bras en criant : « Peau d'éléphant, peau d'éléphant ! » Les deux dernières années, elle était grabataire. Nous avons alors pu compter sur une aidante, Caroline. C'était une femme dévouée, altruiste, généreuse, attentionnée, qui prenait soin de ma mère, allant au-devant de tous ses besoins : elle la faisait manger, la lavait, changeait son lit tous les jours, la coiffait, discutait avec elle, et tant et tant de détails ordinaires qui font toute la différence dans la vie de chaque jour. Finalement, sans surprise, le corps de ma mère lâcha, et elle devint très malade. Elle se retrouva à l'urgence de l'hôpital, où l'on nous avisa que, pour son bien, il fallait la placer dans un CHSLD. Je me souviens de son regard quand je lui ai annoncé la nouvelle. Étendue sur sa civière, toute menue, elle a pris ma main, m'a regardé droit dans les yeux et m'a dit, de sa voix affaiblie : « Je veux mourir, je veux mourir… maintenant. » Mais pire encore, c'est quand je l'ai entendue murmurer : « Dieu, viens me chercher, viens me chercher ! », elle, l'impénitente athée qui avait toujours décrié les curés, les églises, les papes, que j'ai réalisé à quel point l'acronyme maudit avait frappé. Elle ne vécut que quelques jours au CHSLD ; incapable d'en finir ainsi, elle rendit l'âme, comme elle le désirait.

Je pense souvent à Caroline, qui a pris soin de ma mère pendant plusieurs années. C'est grâce à elle que nous avons pu la garder avec nous. Elle a joué humainement et simplement le rôle de « préposée aux bénéficiaires pour les soins à domicile ». Mais dans ma tête et dans ma reconnaissance, ma mère ne fut pas une « bénéficiaire », tout comme il est curieux de parler de « préposée » pour référer à Caroline, cette femme fidèle et bienfaisante. Une société qui parle en chiffres et en acronymes, en néologismes bureaucratiques, est une société qui se coupe de sa vérité. *Soigner* est un verbe rempli de sens. Être un soignant demanderait une reconnaissance totale : la profession, le salaire, la formation continue, la gratitude de la société. Qui sont les « préposés aux bénéficiaires » ? N'est-ce qu'une catégorie restante, floue, indéfinie, désignant ceux et celles qui, pour un salaire moins que minimum et le minimum de reconnaissance, font le travail sale que personne d'autre ne voudrait faire ? En vérité, ce sont des gens comme Caroline qui donnent un sens au mot *soigner*. Dans ce face-à-face du soignant et du malade, chacun a un nom, un visage, une vie.

Le grain de sable dans l'engrenage

Nous avancions dans l'insouciance la plus complète. Tout allait comme sur des roulettes. Cette organisation du monde « livrait la marchandise » et nous étions divertis à souhait. Des jeux et des jouets, des films, des voyages, des musiques, des concerts de vedettes, des banquets, des attractions, des feux de Bengale, de la réalité augmentée, une cuisine internationale, des rires et des farces, du luxe et encore du luxe, de l'inutile en quantité industrielle, des bonbons, des hamburgers, du poulet frit, pourquoi aurions-nous dû nous inquiéter ? Les uns bâtissaient des maisons monstrueusement laides, les autres vivaient une partie de leur vie au soleil, un condo à Orlando, un autre dans le Nord, faisant la navette entre les Caraïbes et le Froid, comme si le voyage en avion était un détail, un tout petit détail ; d'autres encore planifiaient des croisières sur un des cent quatre-vingt-treize navires de luxe qui souillent les sept mers ; et la liste se prolonge : les avares qui chérissaient leurs fonds de pension comme Séraphin comptait son or, les promoteurs de mégacentres commerciaux, de palaces et de carrefours, les entrepôts gigantesques, la vente en gros, les concessionnaires automobiles de voitures chères, les chaînes de restaurants, les Starbucks et les vendeurs de beignes, les marchands de meubles de jardin et de piscines creusées, ou hors terre, les magasins Apple, où se trouvent les jeux, les applications, les iPhone, les iPad, les iPod sans lesquels plus rien n'existe, le magasinage en ligne, les livreurs et les camions de livraison… Laideur, laideur, quand tu nous tiens ! Logos, lumières, néons, boulevards quétaines, vendeurs de quatre-roues, de *skidoos*, stations d'essence, dépanneurs, crédit, cartes de crédit, la vie est une sorte de gros Las Vegas qui cache ses perdants, car oui, cette course sauvage était un jeu, une société brutale de paris, de black-jack et de roulette, de machines à sous, car il y a deux mondes dans ce monde, celui des gagnants et celui des perdants, d'un côté les propriétaires de casinos qui se frottent les mains, de l'autre les joueurs compulsifs qui pleurent dans le grand stationnement, symbole de l'asphalte brûlant, du désert de l'âme, du vide sidéral qui se creuse en nous lorsque nous croyons avoir tout perdu, sur un coup de dés.

Mais voici que nous nous sommes mis sur « pause ». Un mal invisible est devenu viral, la machine s'est soudainement grippée, un grain de sable dans l'engrenage a stoppé la production, l'économie, la croissance, le bruit. Toute notre théologie fébrile du progrès, au nom duquel nous détruisons sans hésiter la beauté du monde, est soudainement remise en question. Les lieux communs capitalistes sont tombés, les déclarations péremptoires de « ceux qui connaissent » l'argent, l'économie, la finance, le droit, et qui « savent comment ça marche » sont désormais de vaines prétentions fondées sur du vide. Tout était faux. Maintenant, on entend chanter les oiseaux.

Car un autre monde pourrait bien surgir de cette panne générale. Nous pourrions rémunérer beaucoup mieux les préposés aux malades et aux vieux. Nous pourrions repenser entièrement la façon dont nous traitons les aînés. Nous pourrions aussi repenser notre rapport à la terre, aux petites fermes, aux serres, nous pourrions faire le procès de l'inutile, du superflu, du faux confort, des désirs insensés, et ainsi de suite, ce qui nous occuperait pendant des années et des années. Serait-il possible de redonner tous ses droits au caractère sacré de la beauté du monde ? De penser à mieux bâtir, à mieux créer en ne respectant plus les prescriptions empoisonnées de l'économie ? De reconsidérer nos façons de traiter nos forêts, nos paysages, notre faune, notre flore ? Et de traduire toutes ces valeurs magnifiques dans les programmes scolaires, afin que nos enfants soient au fait de la nature, de la science, de la philosophie et de tout le reste qui seul puisse permettre à l'humain d'échapper pour toujours aux griffes de l'ingratitude, de l'ignorance, du manque de goût ? Une grande crise peut être une grande occasion.

Quand j'aurai cent ans, je pourrai dire aux curieux que j'ai connu en même temps la grande pandémie de 2020 et Donald Trump, deux cataclysmes de taille. Dans les circonstances de ces temps tragiques, n'était-il pas normal de prendre notre mal en patience et de nous répéter qu'après la disparition du virus et la chute du gros crétin, « ça ne pouvait que bien aller » ?

Le village de La-Déception-
des-Portes-de-l'Enfer

à Mathieu Fournier, qui en a eu l'idée

Tout comme un village peut s'appeler L'Annonciation, et un autre L'Ascension, le mien porte le nom de La Déception, La Déception-des-Portes-de-l'Enfer. C'est un village perdu au fond des montagnes et des vallées du Nord, les dernières terres faisant face à la grande forêt sauvage où personne n'est jamais allé. Nous, les habitants de La Déception-des-Portes-de-l'Enfer, nous ne voyageons pas plus qu'il ne faut, autant dire que nous ne voyageons jamais. Il y a tant à faire ici que nous ne saurions rien quérir ailleurs, dit Montaigne. Parce que le village se trouve au pied d'une chute qui fait grand tumulte, entre des rochers étroits et monumentaux coiffés d'un manteau d'épinettes noires, les anciens avaient trouvé normal de nommer le lieu Les Portes-de-l'Enfer. Quant à La Déception, c'est simple. Selon les vieilles histoires, le premier habitant du lieu était un forgeron-serrurier sans emploi. Il avait fini par se jurer à lui-même de trouver le verrou des portes de l'enfer afin d'en fabriquer la clé pour tous. Obsédé, pugnace, il a toujours espéré réussir, mais peu avant sa mort, il a bien été obligé de reconnaître sa défaite. Il n'avait pas trouvé le verrou, il n'avait jamais fabriqué la clé, et notre village porte le nom de cette grande déception, en plus de se retrouver sans clé. Mais cela importe peu, notre village n'a pas d'histoire sinon celle de sa tranquillité.

Nous n'avons pas d'église, donc pas de problème. Jamais curé n'est venu dans les parages des Portes-de-l'Enfer. Et même s'il en était venu un pour nous parler de Dieu, nous l'aurions chassé des lieux. Nous n'avons pas de seigneur ou de comte, ni de morbides prétentieux avec une tête couronnée, une cape de velours et un trône sacré. Les rois nous n'aimons pas, et nous n'avons jamais aimé. Nous n'avons pas de ministres, pas de fonctionnaires ni aucun service public. Nous nettoyons nous-mêmes nos rues, nous réparons les biens communs quand ils se brisent. Il faut dire que tous les habitants ont renoncé à l'économie de l'argent. Le poissonnier donne des poissons au boucher, qui donne de la viande au meunier, qui donne de la farine au boulanger, qui donne du pain au grand voyer, et ainsi de suite. Dans le village, tous les métiers utiles sont représentés. Il y a un éleveur de cochons qui fournit rôtis et cretons, côtelettes et jambons à toute la communauté. Il y a un éleveur de poules, pour les œufs et les poulets, un troupeau de belles vaches pour le fromage, le beurre, le lait, une pharmacienne versée en matière d'herbes sauvages, de drogues et de médicaments naturels, une femme médecin-chirurgienne, un barbier, un tailleur, des couturières, un vétérinaire, des magiciens, un ingénieur. En fait et en somme, le village ne manque de rien. Nous faisons nos propres confitures, notre propre pain. Nous dormons quand la noirceur tombe et nous nous affairons le jour. Seul un guetteur fait la sentinelle durant la nuit, et, pareil au temps du Moyen-Âge, il crie les heures en spécifiant que tout va bien. C'est une horloge-policier qui nous endort et nous rassure. Depuis des siècles, il ne s'est jamais rien passé.

Le village est dirigé par deux vieilles personnes, un homme et une femme, que nous appelons des « sages ». Ils sont sages dans la mesure où ils ne donnent jamais de conseils et ne prennent jamais de décisions. Ils sont là, immobiles, gardiens muets de la loi suprême. L'intérêt commun passe avant tout, nous dépendons les uns des autres, il n'est de je que dans le nous, et nous sommes tous égaux dans la poursuite du bonheur. Dans ce village du don et du contre-don, j'aurai grandi heureux, avant de devenir le gardien des ânes de la communauté. Ces ânes sont importants, ils représentent la tranquillité, la beauté, l'équilibre et la juste charge. Et ces quatre mots se retrouvent sur la façade de notre maison de la culture : *Tranquillité, Beauté, Équilibre* et *Juste charge.* L'âne est donc l'animal emblématique de La Déception-des-Portes-de-l'Enfer.

Lorsqu'un influenceur d'Internet s'intéressa à nos affaires et demanda au boulanger pourquoi il ne vendait pas son pain à la ville ou dans l'infini du marché, en créant un site GoDaddy sur le Web, le boulanger ne comprit rien à la question. Mais il lui répondit quand même, en notre nom à tous : nous aimons le pain, mais nous détestons l'argent et le travail. Ce fut une grande révélation : au village, tout le monde faisait quelque chose, mais personne ne travaillait. Même nos ânes ne travaillaient pas, ils se promenaient. Moi, je ne travaillais pas auprès de nos ânes, je les aimais tout simplement.

La liberté est une route

La liberté est une route

Nous pouvons fuir les conventions, la routine, l'injustice, la pauvreté, et tant de choses encore. Lorsque nous parlons des anciens Canadiens français qui ont fui la vallée du Saint-Laurent en espérant une vie meilleure, nous pensons immédiatement aux années 1900, aux manufactures de la Nouvelle-Angleterre, à Lowell, à Jack Kerouac. Le phénomène fut massif et concentré : en quelques décennies, près d'un million de Canadiens français catholiques émigrèrent vers une région précise des États-Unis. Ils fuyaient les terres de roches d'une colonisation cruelle, ils fuyaient le chômage, l'extrême pauvreté, ils fuyaient un pays englué dans le passé, une société empoisonnée par le pouvoir catholique, un monde trahi par les bourgeois colonisés, un univers asphyxiant qui combattait la modernité. Pourtant, la liberté ne fut jamais au rendez-vous : ils se retrouvèrent prisonniers des usines, prolétaires mal payés, vite rattrapés par les curés et les chanoines qui s'empressèrent de leur refaire des « petits Canada », victimes par surcroît des exactions des racistes américains. Ils récoltèrent plus le salaire de la misère que les joies de l'évasion.

Mais cette fuite ratée vers la Nouvelle-Angleterre n'était qu'un épisode tardif d'une vieille habitude inscrite dans la nature même du Nouveau-Monde. Les premiers habitants de la Nouvelle-France fuyaient les misères de la vieille Europe. Plus encore, lorsqu'ils débarquaient à Québec puis aux Trois-Rivières, de nombreux jeunes hommes français n'avaient qu'une idée en tête : fuir l'autorité française, le clergé, le gouverneur, l'étiquette et la culture, fuir ce qu'on appelait pompeusement la « civilisation », fuir la soumission et le joug des conventions, pour rejoindre le bois, l'ensauvagement, la liberté.

Telle fut la fuite des Brûlé, des Radisson et de leurs milliers d'émules, les Provost, les Charbonneau, les Robidoux qui, au cours des siècles, apprirent de nouvelles langues, algonquienne, iroquoienne, lakota, qui prirent l'Amérique à bras-le-corps et qui réussirent à rejoindre pour de vrai un monde nouveau. Dans le tunnel amérindien de leur grande évasion culturelle, ils passèrent de l'autre côté, ils s'échappèrent dans les grands espaces de leur liberté. Finis le curé, le goupillon, la confession, finis le gouverneur, les lois iniques, le gendarme, l'injuste justice des riches. Ils devinrent les princes des Grands Lacs, les esprits libres du Michigan et du Wisconsin, les explorateurs de l'Ohio et de l'Illinois, les maîtres du Mississippi et du Missouri. Ils fuirent jusqu'en Californie. Ils furent au Minnesota, aux Dakotas, au Montana, en Oregon, au Wyoming et en Utah, au Manitoba, en Saskatchewan, en Assiniboia, et jusqu'au Grand Lac des Esclaves.

Il semble bien que l'histoire de l'humanité soit finalement un grand et interminable exode : on cherche toujours la terre promise. Cette marche est une fuite, une migration remplie d'épreuves, d'obstacles et de revers. Nous n'arrivons jamais, nous n'arrivons jamais. Cependant, elle scintille toujours, la lumière au bout du tunnel. La fuite est une promesse, on peut toujours rêver d'un monde meilleur. La liberté est une route, une roue qui tourne, une route qu'il faut bien prendre, puis sur laquelle il faut rouler sans relâche si nous espérons un jour arriver sur les côtes embrumées des plus beaux de nos rêves.

Le routier tropical

Se pourrait-il que nous rêvions moins en vieillissant, que le champ de nos rêves se réduise comme peau de chagrin ? Se pourrait-il encore qu'avec l'âge, et à défaut de nous disperser, nous rêvions plus profondément ? Il n'est pas de réponses à ces questions. Le fait de vieillir suppose en effet un plongeon en nous-mêmes, une méditation sur les deuils, un repli de survivance, une renonciation, une résolution. À quoi rêve le vieux que je suis devenu ?

Je rêve que je conduis mon camion Mack rouge, rond, modèle B de l'année 1958, entre Santiago de Cuba et La Havane, aller-retour, six longs jours par semaine, sur une route bordée de palmiers, transportant des caisses de rhum, que je ne charge ni ne décharge, confiné dans mon rôle de chauffeur révolutionnaire, socialiste et patriotique. Je porte une chemise blanche à large encolure, un pantalon jean, des bottes de cowboy, un beau chapeau de paille, un panama vieilli. Mon compagnon est un chien bâtard portant fièrement sa médaille de chien ordinaire. Sur cette médaille, il est écrit en espagnol : « Moi, j'ai un maître. » Je fume un cigare, j'ai le bras gauche bronzé-brûlé, lui qui traîne toute la journée sur le rebord de ma fenêtre de chauffeur, une fenêtre dont la vitre n'est jamais relevée. J'ai de beaux endroits où m'arrêter le long du trajet, des lieux familiers où je peux manger un ananas farci de bœuf haché et de chair de saucisse. Le dimanche, je me repose sur le balcon de mon minuscule appartement. Accoudé à la rampe, en « petit corps », j'observe la foule animée sur la petite place en bas. Il y a des vieilles voitures américaines de l'âge de mon truck, des 1958, il y a des Lada communistes à côté des Ford, des Dodge et des Monarch. Je sais que demain, à l'aube, je vais remonter dans mon beau Mack rouge pour y passer la semaine, à rêver, retraversant l'île de Cuba, 1 100 kilomètres aller-retour, pendant six jours, en convoyant mon chargement de rhum sur une route parsemée de nids-de-poule. Comme Montréalais, je suis en pays de connaissance. Je ne possède rien d'autre que ce camion. Quelques amis cubains, mécaniciens-bricoleurs, entretiennent l'embrayage de la transmission, changent l'huile du moteur, remplacent les pneus et astiquent la carrosserie. Je ne possède rien d'autre que ma chemise blanche que je lave le dimanche, que mon chien Fidel, que ce petit appartement aux murs noircis, avec un balcon minuscule qui fait bien mon affaire. Dans la cabine du Mack, sur le tableau de bord, quelques photographies, les femmes que j'ai aimées, ma fille, mon fils, mes petits-enfants. Les photos sont fendillées, racornies, comme si elles s'enfonçaient dans le temps. C'est ma vie qui s'efface, ma mémoire qui s'assèche.

Dans mon camion, entre les bosquets de palmiers, sous le ciel bleu des Caraïbes, je rêve d'un vieux Mack noir qui transporte des chargements de bois dans les forêts d'épinettes noires sur des chemins de neige, dans le nord de ma vie. Je vois des tempêtes et des poudreries blanches, de la glace et du froid, du givre dans ma vitre. Nostalgie des extrêmes, extrêmes nostalgies, le vieux se nourrit à même le cercle de l'éternel retour. L'épinette est devenue palmier, et le palmier se souvient de son temps d'épinette. Alors, autant fixer la route devant moi, autant fixer mon attention sur le bulldog qui se tient sur le bout du nez de mon beau Mack modèle B, pratiquer l'art de la rêverie éveillée, quasiment de la divagation, entendre le grondement du moteur comme on entend le bruit éternel des vagues qui viennent mourir sur la grève.

Les jours passent, les semaines reviennent, toujours pareilles, comme le temps de l'éternité. Et mes rêves à présent sont des restants de rêves, des bribes, des traîneries. Je pense au chrome démodé de mon pare-choc, au café du matin, à ces nuages que je poursuis dans l'horizon, bref, à ce qui reste de la beauté du monde. Il n'est personne de plus heureux qu'un vieux routier dans un vieux camion sur une vieille route.

L'archer du roi

Plus personne ne voudrait, de nos jours, parcourir en leur longueur les chemins de la liberté. Ils sont trop difficiles, interminables, montueux et courbeux, remplis de cahots et de misères. Il y a des pentes traîtresses, des passages aveugles, des obstacles en travers. La liberté authentique est une route où l'on rencontre, où l'on risque même de faire de mauvaises rencontres, la nuit, mais où l'on risque aussi de découvrir des gens merveilleux, à l'aube. Cette vieille philosophie de la quête et du cheminement, ce vieil esprit de combat n'a plus la cote aujourd'hui. Camaraderie des aventuriers de la liberté, solidarité routière, rudesse de tous les émerveillements, émotions de la découverte. La modernité a tué ce vieux monde, elle a construit des autoroutes, des voies triples où nous ne rencontrons rien ni personne, isolés que nous sommes dans nos bulles, filant à grande vitesse. On réduit le temps, on aplanit les distances.

La liberté se trouve maintenant sur une tablette. Elle a un prix, pas cher, pas cher. La grande machine de la consommation a volé la liberté pour la mettre sur les rayons de tous les plaisirs faciles. C'est un jouet, une tondeuse, un souffleur de feuilles mortes, un essuie-glace en téflon. La liberté est un grand stationnement devant un Canadian Tire, devant un Réno-Dépôt. La pub établit désormais les paramètres de toutes les libertés. Il est des messages sociétaux qui nous font la morale. Il est des messages moraux qui refont le social. Cependant, la proposition la plus insistante suggère que la modernité nous a libérés de toutes les contrariétés, un poêlon qui colle, un matériau qui résiste, tout ce qui cause un dégât, un texte trop long, trop profond. Libérons-nous des tâches domestiques, des choses ardues, des obstacles. La liberté est un bonbon lisse, une tomate sans taches ni aspérités, une voiture de luxe, avec un volant intelligent qui vous dispense de conduire, des freins qui freinent avant vous, un GPS qui pense pour vous qui êtes libéré finalement du devoir de conduire. Vivez sans douleur, sans effort. Apprenez une langue étrangère sans aucun problème, en un tour de langue, maigrissez en mangeant, achetez sans payer – ou en quatre paiements faciles !

Eh oui, tout est devenu si facile qu'il faut désormais s'inventer de la difficulté. La liberté est devenue un sport, et qui plus est un sport extrême. La liberté est dans l'escalade, elle est dans le vélo de montagne, le trekking et le chemin de Compostelle ; on s'invente des murs, des sommets, des obstacles, on simule une course, il y a même des téléréalités qui reproduisent artificiellement la lutte pour la survie. Nous sautons dans le vide à partir d'un avion, nous nageons dans la lagune, nous payons une hypothèque en Floride, jusqu'à vieux, jusqu'à vieille, et nous croyons que c'est cela, la liberté.

Seule l'éducation pourrait nous sortir des pièges de cette fausse liberté. L'éducation est le passage obligé. Formons des êtres libres de penser en toutes circonstances afin que plus personne ne soit l'esclave de l'opinion des autres. Nul ne peut être sans devenir, et devenir est un travail de tous les instants. Ce diplôme qui allie métier et maturité, sagesse et liberté, n'est pas donné. Pour devenir archer du roi, il faut tout apprendre sur les arbalètes : le bois, la corde, la flèche, la pointe de flèche, le vent, les distances, la maîtrise de soi, la respiration, la position des doigts, la pression de l'épaule, l'histoire de l'arc, le sens de la justice, la sûreté du jugement, sans parler des mille heures d'entraînement. Plus qu'un âge légal, la liberté est une routine de combat. Voilà un beau sujet de conversation avec nos enfants, le soir au souper.

Le plus grand fugitif de tous les temps

Au commencement était la peur. La réalité nous le rappelle tous les jours, le monde est loin d'être sûr, et le ciel peut à tout instant nous tomber sur la tête. Ne sommes-nous pas davantage victimes que tueurs, plus proies que prédateurs, plus vulnérables que capables ? Nous avons toutes les raisons de fuir, et même si notre fuite est souvent sans raison, nous sursautons et nous nous enfuyons au moindre signal de danger. La fuite nous est aussi familière que la respiration. Il faut d'ailleurs avoir du souffle pour s'enfuir rapidement. Nous sommes des êtres de guet et d'aguets, tels ces suricates africains, vigiles attentifs debout au sommet de leurs buttes. Ils scrutent l'horizon pour voir venir l'ennemi et leur vie se résume à le guetter pour mieux le fuir.

L'humain, dans son évolution, a dû fuir souvent au cours de ses longues pérégrinations, il nous en reste des cauchemars récurrents. Songez à ce rêve universel : nous essayons de fuir, mais nos efforts pour courir sont vains, nous nous agitons dans le vide sans pouvoir nous échapper. Il est certain que ce cauchemar est archétypal, comme si la mémoire de l'humanité trouvait son chemin pour se manifester en chacun de nous. L'instinct, autant que la conscience, nous dicte d'être constamment sur nos gardes. Voilà pourquoi nos primes d'assurance explosent : nous avons besoin d'être immensément rassurés pour dormir tranquilles dans le confort et la sécurité.

Entre l'éloge de la fuite et le délit de fuite, on retrace l'histoire entière de l'humanité. Le spectre est large : la fuite peut être honorable ou déshonorable, elle peut tout aussi bien nous sauver que nous perdre. Une certaine fuite nous assure le salut, car on se sauve bel et bien lorsqu'on fuit à temps une menace contre laquelle on ne peut rien. Cela s'appelle « sauver sa vie », et la chose est en général recommandée. Toutefois, fuir quand le devoir vous dicte de rester sur place est une lâcheté qui risque de vous perdre à jamais. On ne fuit pas son poste sans une bonne raison. Cela s'appelle « se sauver », et nous savons que seul le peureux se sauve devant le danger. C'est toute la différence entre le fugitif et le fuyard.

De la même manière, il y a de petites fuites intimes et humiliantes et il y a de grandes fuites tragiques. Notons encore une fois l'immense différence entre les deux. D'une part, les publicités qui s'adressent aux parents de bébés… ou aux vieux, des messages qui vantent les mérites de telle couche archiabsorbante, de telle couche antifuite, ce qui permet au bébé d'être aux anges et au vieux d'aller danser. D'autre part, il y a la grande fuite, la fuite tragique quand, par une nuit glaciale au milieu de l'Atlantique, un matelot essoufflé répond au capitaine du *Titanic* : « Oui, mon commandant, nous avons bel et bien une fuite. » Celle-là ne pardonne pas.

Mais le plus grand fugitif de tous les temps, c'est le temps lui-même. Oui, *tempus fugit*, le temps fuit et sa flèche nous emporte toujours vers un futur incertain qui nous effraie, que nous cherchons à fuir bien souvent pour mieux nous réfugier dans le passé. La nostalgie est un refuge, une fuite en retour, comme si nous voulions remonter le temps pour ne pas avoir à l'affronter. Comble de la difficulté, les souvenirs fuient aussi, la mémoire est une passoire, l'essentiel de l'histoire nous échappe. À la fin, il n'y aura plus une seule issue, nous allons manquer de temps. Nous allons manquer d'espace aussi, de terres nouvelles où nous réfugier. Notre peur du noir nous a fait fuir vers la lumière. Notre peur de l'ennemi nous a précipités dans la démesure militaire. Et ainsi de suite, pour la santé, pour le manger, pour le confort. Peur de vieillir, peur de souffrir, peur de perdre des morceaux, nous nous réfugions dans le mensonge d'entre tous les mensonges en nous disant qu'aujourd'hui la jeunesse est sans fin, que la mort n'existe plus et qu'il existe heureusement un remède à tous les maux.

Un beigne avec un café

Nous roulions la nuit, entre le lac Nipissing et Kapuskasing, et nous étions saisis de noirceur. Lui, dans son camion-remorque, devinait la route, moi, dans ma Honda, je le suivais, tel un pique-bœuf sur le dos d'un hippopotame. La lumière de nos phares se perdait dans l'immensité, elle éclairait à peine la furie de la tempête de neige, une blancheur sublime tapie dans le noir absolu, un bruit sourd de vent perdu, une soufflerie invisible qui venait embrouiller les signes de la piste. Je suivais le gros camion qui s'enfonçait dans le blizzard. Nos feux étaient comme des petits yeux plissés, combattant une poudrerie si forte que nous ne pouvions pas « mettre les hautes », tant les flocons nous aveuglaient. Dans la forêt nord-ontarienne, nous étions, le camionneur et moi, deux âmes en peine, désorientées au milieu de nulle part, et je me souviens encore aujourd'hui de cette impression de solitude et de fragilité qui donne froid dans le dos : allions-nous un jour sortir de cette éternité ? Les seuls guides dans mon champ de vision étaient les feux arrière de la remorque que le refoulement de la neige cherchait à faire disparaître sous une épaisse couche de poudreuse. Un peu plus et je perdais mes repères.

Mais on ne souffre jamais qu'en attendant et jusqu'à nouvel ordre, comme dit Jankélévitch. Au bout de quelques heures, une lumière est apparue dans le lointain, un petit Tim Hortons, un stationnement, des lampadaires, comme une oasis dans l'immensité des bois. Le camionneur s'y est arrêté, bien sûr, et je l'ai suivi. Un fois descendus de nos capsules, nous nous sommes vite engouffrés dans le petit resto, et nous avons jasé en mangeant le beigne sucré de la récompense et en buvant le café de la réparation.

Ensemble, le camionneur et moi, en passant de l'ombre à la lumière, nous avions refait le grand voyage de l'histoire humaine. Cela, nous le savions. Nous avons parlé d'illumination, des lumières grandes et petites qui brillent le long des autoroutes, des avenues et des grands boulevards. L'histoire de l'humanité serait-elle l'histoire de l'éclairage, finalement ? La clairière fut déjà une première éclaircie, couper les arbres de la forêt revenait à laisser entrer la lumière dans le village. Cette clairière, qui n'était qu'un feu et un lieu, allait devenir un espace de plus en plus vaste, avec la multiplication des foyers et des champs, l'apparition des villes. La ville serait aussi le lieu du livre, de la bibliothèque et de l'Académie, la concentration du savoir. C'est la thèse du philosophe Vico, telle qu'exposée par Robert Harrison dans son livre *Forêts, essai sur l'imaginaire occidental*. Le ciel cotonneux de Paris est un ciel intellectuel, les nuages de la vieille France charrient la fatigue des vieux débats, le soleil chrétien est imprégné de rayons magiques, plein d'apparitions et d'épiphanies, les couleurs chaudes des vitraux dans les cathédrales humides s'infiltrent jusque dans nos âmes, le faisceau béni tombe sur le prie-Dieu, Dieu pointe sa lampe de poche sur le peuple choisi, et que le spectacle commence ! La lumière est divine, c'est une révélation, le roi est un soleil, le savoir est lumineux. La ville est la victoire de l'humain sur la nature brouillonne, brumeuse, sur la forêt sombre de tous les encombrements et de toutes les approximations. La ville est la multiplication des enseignes lumineuses, des marquises et des réclames. Pensons aux Champs-Élysées, à Las Vegas, à Times Square.

Trois heures du matin, un beigne au chocolat, un café de route, une grande forêt noire, l'enseigne d'un Tim Hortons, deux âmes errantes, voilà de quoi refaire le monde.

Le grand ordinaire de la route 20

Le voyant indiquant un problème de pression dans un pneu s'allume soudainement sur le tableau de bord de ma voiture. Cela tombe bien mal, puisque je sors à peine du tunnel Louis-Hippolyte-La Fontaine et m'apprête à relever le défi par excellence de la platitude en ce bas monde : rouler les deux cent cinquante kilomètres de la route 20, entre Montréal et Québec, sorte de passage à vide que de nombreux Québécois connaissent à fond pour l'avoir emprunté des centaines de fois. D'ailleurs, ce matin-là, congé des Fêtes aidant, nous sommes des milliers et des milliers sur l'autoroute, à nous suivre de près, sous la constante menace d'un bouchon. Sur le tableau de bord, un autre voyant indique qu'il fait − 25 degrés Celsius à l'extérieur. Avec moi, il y a Marie, ma blonde, Lou, ma fille, et dix tonnes de bagages. Nous sommes comme une boule compacte lancée sur une allée glacée, une balle dure dont il ne faut tirer aucun fil sous peine de tout voir se défaire. Je résiste à l'idée même d'ouvrir une porte, de peur que tout se désorganise. Ah, la pression des pneus, on s'en serait bien passés ! Nous avons une décision à prendre. En bons adultes responsables, nous empruntons une sortie, je trouve un endroit sécuritaire pour nous arrêter, je sors de la voiture, ma blonde aussi, nous vérifions visuellement les pneus, cherchant un signe de crevaison, de lent dégonflement, un signe de mollesse.

Mais il n'y a rien d'apparent, sinon le calcium qui blanchit tout, le métal, le pneu, jusqu'aux émanations du tuyau d'échappement. Je me dis qu'il y a peut-être un clou dans le pneu, sans perte d'air pour le moment. Autant reprendre la route et faire comme si de rien n'était puisque rien, justement, n'apparaît au regard. Je blâme le tableau de bord, la fragilité des systèmes électroniques, essayant de me rassurer. J'ai beau essayer de penser à autre chose, j'ai un clou imaginaire dans la tête, une petite épée de Damoclès.

Au palmarès des autoroutes de l'Amérique du Nord, la route 20 entre Montréal et Québec se classe dans la catégorie de l'ennuyance et de la platitude extrêmes. J'en ai connu de pareilles au Nebraska, en Oklahoma, au Minnesota, en Ohio. L'absence de relief y est certainement pour quelque chose. Il n'y a rien d'autre que des kilomètres et des kilomètres à travers des champs et des boisés malingres. C'est la route idéale, l'archétype de l'intervalle : la *route 20*, ce vieux mot indien signifiant « là où chassaient les Abénakis, dans les plus belles forêts de la vallée du Saint-Laurent, au milieu des vieux chênes blancs, des érables magnifiques, des hêtres monumentaux, des frênes et des noyers, ce qu'on appelle du "bois franc" ».

Nous nous arrêtons au Madrid 2.0 pour vérifier les pneus. Le Madrid, les dinosaures en plastique, la petite Mecque des routiers ordinaires, l'oasis des forçats de l'autoroute plate. Une nouvelle vérification visuelle n'indique rien d'anormal. Nous reprenons la route blanche de sel, vers Saint-Louis-de-Blandford, vers Laurier-Station, nous traversons le pays de l'atoca. L'autoroute s'appelle Jean-Lesage, rien de bien rebondissant. Nous devrions la rebaptiser « autoroute de la canneberge », question de lui donner de la couleur.

Finalement, le voyant vert du pneu dégonflé restera allumé pendant plus d'un mois, le temps de deux autres voyages à Québec. Le clou imaginaire m'a accompagné pendant plus de mille kilomètres, comme une épine dans le pied, sans que jamais un pneu ne se dégonfle. Je me suis dit : c'est le tableau de bord qui s'amusait, question de briser l'incroyable ordinaire d'une route où il ne se passe jamais rien.

Pisser dehors, sous la Voie lactée

Ma mère cultivait les géraniums. En été, elle sortait ses nombreux pots pour les disposer précautionneusement sur sa longue terrasse, une galerie en fait, au deuxième étage de notre maison. C'était une exposition, certains diront une « exposition d'orgueil ». Mais en réalité, c'était une explosion de joie. Les enfants du quartier appelaient ma mère « Madame Géranium ». Ils faisaient un détour pour venir admirer les rangées de fleurs rouges, leur disposition particulière digne d'un jardin botanique. Il faut dire que ses plants étaient particulièrement beaux. Je ne sais par quelle magie elle réussissait à les garder en si belle forme, année après année. Je sais par contre que l'effet de ces géraniums sur l'humeur était garanti. La beauté inspire toujours une béatitude de l'âme. Quand je revenais d'un long voyage, ces géraniums ajoutaient à ma joie de rentrer au bercail.

D'ailleurs, revenir chez moi m'a toujours procuré de la joie. J'en ai mille souvenirs, dont celui-ci. Huberdeau, un soir d'hiver, je reviens de Kapuskasing, huit heures de route en solitaire. Finalement, je roule dans le petit chemin qui mène à ma maison, dont j'aperçois la tranquille silhouette perdue dans le bois. J'ai envie de pisser depuis Grand-Remous. Arrivé dans l'entrée glacée, j'éteins le moteur, je sors de la voiture, je trottine vers le banc de neige, au pied d'une grosse épinette, et je me soulage. Grand moment de joie. Le fait de pisser après m'être longuement retenu me donne une première dose de joie. Le fait de pisser dehors, au grand air, m'en procure une deuxième. Et puis, la paix, le silence, la tranquillité absolue de la nuit hivernale dans la noirceur de la forêt avec, au-dessus de ma tête, la Voie lactée dans toute sa splendeur. Je suis en joie, profondément. Huit cents kilomètres à la noirceur, après avoir parlé pendant huit heures devant des publics exigeants, et voilà que j'arrive chez moi dans le milieu de la nuit, entouré de mes noires épinettes, à la porte d'une maison chaude où m'attendent mes amours. On appelle cela un « moment de béatitude ». Je ne crains ni l'immensité de l'infini ni l'immensité de l'amour. Je suis en paix avec mon voyage, ma parole, envahi par une sorte de plénitude.

Je me souviens de mes amis chasseurs innus, avec qui je voyageais de lacs en rivières. Un jour, nous filions en canot, les visages étaient radieux, comme si chacun de la petite bande se trouvait là où il devait être, en forêt. Soudain, quelqu'un aperçut un ours sur une colline rocheuse, il cria : « Mask! Mask! » Les trois canots se dirigèrent vers la rive et mes compagnons débarquèrent dans le temps de le dire. Ils étaient saisis de joie, la vieille joie du chasseur sur la piste de son gibier. Ils riaient, chuchotaient, se mettaient dans la peau de l'ours, parlaient de lui comme s'il était complice du jeu. Ce jour-là, l'ours leur échappa et les chasseurs revinrent bredouilles. Autour des canots, ils firent du thé et jasèrent d'ours pendant une heure. Ils n'étaient pas tristes de ne pas avoir tué la bête. Ils étaient heureux de l'avoir poursuivie. Cette petite histoire, un souvenir parmi des milliers de souvenirs, m'est restée dans la tête, même si cinquante ans me séparent de ce moment magique, où les chasseurs étaient des chasseurs et où moi, j'étais moi, l'innocent, l'observateur.

Quand je pense à la joie, je ne pense pas aux confettis, aux feux d'artifice et autres manifestations du même genre.

Je ne pense pas aux cris et aux sautillements. La loi de la joie est beaucoup plus simple : être là où vous devez être, avec qui vous devez être, dans la paix et la tranquillité de l'esprit. Ce sont des moments, des petites choses, un jardin de géraniums, une forêt d'épinettes, une longue route, un café avec Marie et les sourires intemporels des amoureux au long cours, le travail accompli, des champs fraîchement fauchés. *Mask ! Mask !* Un ours !

Le plus long voyage commence par une longue pause

Lao-Tseu disait que le plus grand des voyages pouvait se faire assis sur le bord du chemin, immobile comme une roche. Il suffit de laisser voyager la Terre, dans sa rotation sur elle-même et dans sa ronde autour du Soleil. La distance devient alors un chiffre, un calcul mathématique. Et cette distance est vraie puisque la mathématique est le langage de l'Univers. Ce fameux Univers dont on aperçoit des reflets et des bribes, la nuit, sous l'infini de la voûte étoilée, n'est que du temps et de la distance. Vingt-quatre heures, une année, une année-lumière. Quinze milliards d'années-lumière. Des dizaines de milliards d'étoiles, autant de galaxies. Des lumières nous parviennent de si loin que leurs sources se sont éteintes depuis longtemps. Et nous dirions à l'Univers, depuis la seconde du big bang jusqu'à l'extrême limite d'une frontière qui s'étend toujours plus, à la vitesse de la lumière : « Tu en as mis, du temps ! »

Nos ancêtres n'avaient pas le choix : ils devaient respecter les distances. Montréal-Québec prenait deux jours en charrette. Cela prenait six mois pour traverser l'Amérique de bout en bout, six mois si l'on était chanceux. Dans les circonstances de ces longs voyages en canot, à pied, à cheval, il n'y avait aucun risque de décalage horaire. Les voyages étaient si longs qu'on ne se surprenait pas de mourir en chemin. Aujourd'hui, on se félicite du progrès, nos technologies visent à abolir les distances. Seize heures de vol pour l'Australie, seize heures et nous voilà aux antipodes. Il est clair que cette victoire sur la distance entraîne de sérieuses conséquences. Nous ne faisons peut-être pas assez attention aux effets secondaires du décalage horaire, qui font que nous sommes constamment désorientés, comme des baleines qui ont perdu leur chemin, comme des outardes qui ont perdu le nord. Ce n'est pas pour rien que les plus fins technologues ont mis au point le GPS. Aux humains moderno-modernes, il faut un GPS, sinon où iraient-ils par eux-mêmes ? Étourdis comme nous le sommes, nous nous retrouvons en Thaïlande dans le temps de le dire et là, dans le lit d'une chambre d'hôtel, la nuit, dans un éclair de conscience, nous nous demandons : que suis-je venu faire ici ? Ayant perdu nos perspectives, se pourrait-il que nous dérivions à grande vitesse sans contrôler quoi que ce soit ? Un sorte de dérapage. Une chose est sûre, nous ne tenons pas en place. Au beau milieu de ce tournoiement, qui saurait commander un temps d'arrêt ?

Est-ce excessif que de vouloir arrêter ces sautillements et retrouver la nature originale de notre statut de voyageurs sur la Terre ? Je me vois, assis sur une chaise de jardin, le long d'une autoroute achalandée, en train de compter les camions, ou bien les voitures noires, en train surtout de rentrer en moi-même, quelque part entre ma tête et mon cœur, là où je peux voyager partout, dans l'espace et sur la Terre. Dans l'immobile, on approfondit, on découvre, on s'étonne d'être des passagers quoi qu'on fasse, quoi qu'on dise. Pas besoin de visa, de passeport, de billets d'avion, pas besoin de bagages, même pas besoin d'argent, il suffit d'une roche où s'asseoir afin de voir tout ce qu'il y a à voir.

Les restes de l'été

Penchons-nous un instant sur la solitude d'un chalet d'été, en automne. Il est là, abandonné, encore étourdi par les bruits des vacances, mais plongé désormais dans une profonde léthargie. Tout est silencieux, mouillé, envahi par les feuilles mortes, feuilles jaunes du bouleau, feuilles rouges de l'érable, feuilles brunes du faux-tremble. Les mélèzes ont aussi perdu leurs petites aiguilles d'or, l'arbre est à présent mortuaire, le chalet s'endort comme une crypte au beau milieu d'un cimetière. Le canot est renversé, il est rangé dans la remise humide, elle-même un peu cachée sous une tale d'épinettes. Le lac fume à peine, il se perd dans un petit brouillard, on dirait qu'il se repose avant de s'englacer. Nul besoin d'études et de sondages pour savoir que ce lac a l'esprit en paix. Le chalet entendra les appels de la femelle orignal, le cri du huard, les complaintes des coyotes malheureux. Sur la galerie, plein de petites choses, des cossins qui traînent et attendent fixement que l'hiver s'installe. Un balai à feuilles, une rame fêlée, une *mop*, un barbecue pas nettoyé, des pots de fleurs qui rappellent le rouge des géraniums, une veste de sauvetage oubliée, souvenir des grands jeux dans l'eau. Des souris cherchent une entrée dans le vieux bois de la façade, mulots heureux des entre-murs.

Hier encore, c'était l'été. Les enfants se baignaient dans le lac, ils criaient leur joie, ils s'étrivaient, courant, nageant jusqu'au bout de leur souffle. Sur la véranda, on prenait l'apéritif entre amis, réglant calmement tous les problèmes du monde. Les hôtes préparaient des repas légendaires, du genre de ceux dont on se souvient longtemps. Du vin pour tous, de la bière en quantité, on mangeait de la truite du lac et des épis d'un blé d'Inde sucré par le bon Dieu. Les amis arrivaient, repartaient. Cet été a été chaud, la maison grouillait, tout était vivant, des maringouins jusqu'aux mouches à feu. On préparait des bivouacs en ramassant le bois mort dans les alentours. Soir après soir, le feu crépitait. Piqueniques, grandes tablées, festins, déjeuners inoubliables, discussions, l'animation humaine se faisait sentir partout.

Dans ce décor maintenant figé, devant ce chalet abandonné, nous apercevons les restes de l'été. Le bonheur est derrière, il est ce bloc erratique qui ne se déplace pas et qui tiendra le fort à jamais, sur le bord de ce lac rempli des échos de la joie. Il est dans le gravier de la petite plage, au pied de l'éternel merisier, dans le petit sentier qui va dans la forêt. Nous avons connu l'été, les bruits de l'été, la cigale, les oiseaux, le chant du pinson frédéric, le cri du carouge, le bourdonnement des mouches à chevreuil, les gros orages électriques de nos vacances. Et maintenant tout se calme, tout rentre dans l'ordre, le bel automne hésite entre ce qui a été et ce qui s'annonce. Dans cette affaire, le chalet est le gardien des souvenirs, il est la promesse du revenir. Le bonheur est dans son toit de tôle sur lequel tambourine la pluie, dans le bois gris des cadres de fenêtres, dans la cachette d'une souris recroquevillée entre une planche et du bran de scie. Les restes de l'été sont des traîneries, des photographies qui vieillissent, des éclairages, des paysages.

À présent, les restes de l'été se croisent sur les autoroutes. Les autos portent sur leur dos d'autres échantillons de cet écosystème fragile, des bribes, des morceaux, des kayaks, des planches à voile, du barda qui nous semble trop précieux pour être laissé derrière. Elles tirent des petites remorques transportant des véhicules tout-terrain, des tondeuses. Par la lunette arrière, on voit des têtes d'enfants endormis, les petits corps secoués par la fatigue de tant et tant de jeux. La fête du Travail donne un premier coup, puis l'Action de grâces, le coup de grâce : c'est la cérémonie du vrai retour, à l'école, au travail, aux soucis, et on se dit en soi-même « à la prochaine », en espérant qu'il y en aura une.

Un *sniper* dans la nuit

Dans les premières années de notre vie ensemble, Marie, m'ayant écouté raconter les dures misères de Ginette, ma première femme, finalement morte de ses multiples cancers après plus d'une décennie de lutte, me proposa de mettre par écrit cette saga tragique, l'histoire de deux amoureux inséparables arrachés l'un à l'autre par la maladie fatale, une petite famille dévastée, notre fils unique brisé par la peine, et même notre chienne, Mouffe, qui en était morte de chagrin. J'ai écrit ce récit, que j'ai intitulé « La mort est un chat » (publié en 2012 dans C'était au temps des mammouths laineux*). Je ne pouvais pas savoir, alors, que vingt-deux ans plus tard je me retrouverais devant la même page blanche. Raconter Marie.*

Car elle est là, Marie, ma Marie, chez elle, devant la rivière, étendue comme à l'infirmerie des grands blessés, soignée par des amies qui aiment sans mesure. Elle est immobile dans le lit, apparemment inconsciente, muette, et cependant à l'écoute du moindre bruit, une Marie qui ne rate pas un seul « je t'aime », dit et redit, par l'une, par l'autre, par notre fille, par moi. Ces moments sont irréels, traversés par des désespoirs extrêmes, illuminés par des sourires foudroyants.

Je ne sais que dire de cette sororité, de cette réunion solidaire de femmes qui accourent au lit d'une des leurs et qui, juste à être, injectent de la beauté dans l'air. Moi, le « pauvre type », je ne puis rien de tout cela. Je suis paralysé, inutile. Je ne sais que me lamenter. Mais elles, placoteuses et murmureuses, elles agissent, se dévouent et se désâment, elles savent qu'il faut bouger Marie, la changer de position, la rassurer, lui faire boire de l'eau, lui faire « passer la pilule », la laver et la « mettre belle », comme on aime les bébés, bien langés.

Au chevet de Marie, je vois. Je laisse défiler des images fortes, comme si je consultais au hasard un album de photos qui n'existent que dans ma tête. Je la vois plonger dans un lac. Elle nage, heureuse comme une loutre, belle comme un huard. Elle aime l'eau, Marie, les lacs, les rivières et la mer. Les cascades, les chutes, même les piscines. Là où il y a de l'eau, Marie tressaille, comme un bâton de sourcier. Nous avons nagé avec les saumons dans la rivière Bonaventure, je la serrais dans mes bras, le courant très froid nous emportait, passant par-dessus nos épaules, alors que nous nous embrassions comme des amoureux de la dernière pluie. « Cela s'appelle un bec mouillé. » Nous nous sommes baignés dans le « lac du Grand Héron Bleu Qui Glousse dans les Brouillards du Matin », à Huberdeau, un petit lac caché, perdu, secret, tranquille, l'étang de tous les étangs, encerclé par les silhouettes pointues des sapins sombres. Rien n'est plus sérieux que des arbres recueillis, colloque brumeux des épinettes sur le sujet de la mélancolie. Elle se baignait à la mi-octobre dans l'eau froide du lac à la Loutre, son lac à elle, un lac laurentien à l'eau claire, un lac « sans moteur », encastré dans des rochers cambriens.

Je la vois marcher dans le sentier bordé de grosses épinettes, ce sentier que l'on appelle « le cloître ». Elle s'y fait tranquille et furtive, espérant surprendre un lièvre ou une biche, un daim, un orphelin, récitant le nom des arbres comme on fait une prière. Derrière la maison, Marie a planté un mélèze, elle l'appelle « le parfait ». Elle cultive son jardin de légumes, il faut voir son visage quand elle rapporte de belles tomates. Elle soigne ses nombreux lapins, amoureuse, étonnée, allant tous les matins aux clapiers pour distribuer de la salade fraîche à ses petits protégés. Ils sont trente et chacun a son nom. Je me souviens de ses courses généreuses pour m'offrir deux ânes gris en cadeau ; ou lorsque, pour mon bonheur, elle m'avait acheté un tracteur, le petit Massey Ferguson rouge de l'année 1958, l'année de sa naissance. Le tracteur s'appelait Roméo, car chez nous, des lapins jusqu'au moindre objet, tout avait un nom.

Je la vois au coucher du soleil, elle se repose sur la terrasse, un verre de vin blanc à la main, épuisée par l'amour qu'elle donne autant que par celui qu'elle reçoit. Elle regarde pousser les pins blancs. Cette simplicité nous ouvre les yeux. Tout est beau, le chant de la forêt sauvage, la mousse verte, le lichen gris, la talle de bouleaux blancs, la belle vie des résineux aux troncs gorgés de sève, le calme profond de la fin du jour, et Marie de me dire : « Nous sommes dans le bonheur. »

Et la voilà en ville, allant d'une pièce de théâtre à l'autre, d'un musée à un autre, elle court, elle cherche, elle trouve, elle se sent bien là où l'on chante, où l'on récite de la poésie, elle aime l'animation du monde, le spectacle de la ville. Elle espère écrire une pièce de théâtre, un jour. De nos conversations émanent des projets, des idées viennent au monde, esquisses, brouillons, nous nous surprenons l'un l'autre et, surtout, nous rions. Il est difficile de décrire le rire de Marie, son sourire et sa voix, une voix dont le timbre résonnera pour toujours dans ma tête. Petite fille, elle s'imagine écrivaine. Adolescente, machine à écrire, gitane au bec, petit bureau dans le grenier de la maison familiale de Paspébiac, repliée sur ses secrets, elle écrit un roman, manuscrit qu'elle déteste parce que déjà elle sait la différence entre ce qu'elle vient de faire et ce qu'elle voudrait faire.

Je me souviens, elle entre dans le restaurant, je la rencontre pour la toute première fois. Des jambes parfaites, un port altier, une démarche d'actrice française des années 1960, une très belle femme. Il suffit d'une conversation et je suis vaincu. À la fin du repas, je sais déjà qu'elle sera désormais le centre de ma vie. Je me rends à l'amour indiscutable. D'ailleurs, la suite a été sans calcul ni retenue. Nous ne nous sommes jamais dit : « Vivons ensemble. » Cela s'est fait tout seul, comme si l'amour coulait de source et nous poussait là où nous devions être. Nous sommes devenus « nous » sans même le savoir. Nous ne sommes pas tombés en amour, nous nous sommes simplement rendus à l'évidence.

Découvrant l'amour au long cours, elle a voulu être mère, à trente-huit ans. Elle me l'a proposé sur l'oreiller, subtilement, comme elle savait si bien le faire. Il était impossible que je dise non à son idée. Je serais mort pour elle, de toute façon. J'ai donc plongé dans ce projet les yeux fermés, sans soulever aucune question. Je tenais aux rêves de Marie autant qu'à elle-même. J'ai oublié mon âge, mes fatigues et mes ruines. Effrayé, je l'ai suivie dans sa quête. Elle avait finalement « son homme », elle voulait maintenant « sa fille ».

Je la revois, penchée sur son journal, un cahier où elle écrit des lettres à une Lou à venir mais qui n'est pas encore, une grossesse dans des mots, un espoir poursuivi avec obstination. Elle devient mère dans l'inquiétude, dans l'incertitude, fragile. Marie a eu peur d'être rejetée par cette Lou tant rêvée, de ne pas avoir les connaissances pour élever un enfant, elle a eu peur de ses propres rêves. En Chine, durant les premiers jours passés avec nous, la petite Lou se méfiait. L'enfant perdue examinait de nouveaux visages. Ce temps

flottant, qui retardait le moment où le « sentiment du lien »
s'établirait solidement, fut très dur pour celle qui attendait
son enfant depuis si longtemps. Pendant quelques jours,
Marie a cru à l'échec, elle a cru qu'elle n'y arriverait pas.
Mais Lou fut sa réussite, son obsession, son « lapin » absolu.
Depuis ces journées brumeuses à Pékin, dix-huit ans se sont
écoulés, et un milliard de « maman ! maman ! maman ! »
plus tard, voici Lou, la fille de Marie, une jeune femme
magnifique. Depuis ce temps jusqu'à ce jour, Marie lui aura
tout donné, chaque seconde de chaque heure de toutes ses
journées.

Marie aimait les petites choses. Une rose, pas cent. Il ne
fallait jamais remplir son verre, surcharger son assiette, exagérer les portions. Une larme de ceci, un doigt de cela, elle
appréciait la légèreté. Dans le discours, elle détestait l'en-
flure, dans le texte, elle ciblait immanquablement le mot de
trop. Délicatesse, finesse, l'absolu dans le presque rien. Petite
boîte, petite carte, petit cahier. Marie avait de la grâce, tout
simplement. Un style. Elle écrit : *Je demande à la vie… des*
jours clairs… des années victorieuses… du temps béni pour
aimer mes amours… être là longtemps pour mon homme…
et pour notre enfant aux yeux d'amande… petite Lou venue
au monde par effraction… dans un pays interdit aux filles…
mais qui a toutes ses entrées aujourd'hui… dans notre maison
et dans nos cœurs.

Elle craignait la colère, les voix fortes, la chicane. Douce
et discrète, elle se tenait à distance des personnes agressives.
Lorsque quelqu'un levait le ton, elle perdait ses moyens,
effrayée comme une petite fille qui a commis une faute, une
enfant sur le point de pleurer. Sur la route, dans le trafic, elle
avait l'impression que tous les klaxons s'adressaient à
elle. Chaque fois qu'un impatient « pesait sur le criard », elle
se sentait visée. Avec ma grosse voix, je devais me surveiller
pour ne pas donner l'impression de « parler fort » ou de

grogner quelque réprimande. Tous nos malentendus finissaient par un gros câlin. « Nous n'avons pas une minute à perdre… », disait-elle. Dans nos têtes, il fallait nous réconcilier le plus vite possible. De toute façon, il suffisait de toucher l'épaule de l'autre pour faire tomber toutes nos défenses. Pas moyen de nous chicaner pour vrai. Avec Lou, c'était la même chose. Marie l'a élevée dans la douceur. Les belles réconciliations venaient à bout des accrochages, et jamais Lou ne s'est endormie sur un malentendu avec sa mère.

Dans son texte « Amours malignes – étiologie », elle a choisi une photo d'elle, à cinq ans. En pyjama, elle est toute menue, blonde, cheveux coupés à la garçonne. Elle pleurait chaque fois que sa mère quittait la maison ou s'éloignait d'elle. Cet amour, elle l'a cultivé jusqu'à la fin. Pour Marie, « avoir une mère » ou « être mère » représentait le cœur de tous les sujets. Mystères de la maternité, de l'origine et du passage, de la grand-mère à la petite-fille, Marie voyait un fil.

*   *   *

Se pourrait-il que nous ayons été trop loin dans l'amour, imprudent corps à corps, union fragile de deux âmes faites l'une pour l'autre, communion vulnérable de deux esprits délicats ? Lorsque l'amie tombe à genoux sur le champ de bataille, on entend un cri, on s'arrête pour soutenir celle que l'on aime par-dessus tout, on regarde la blessure, et déjà on réalise la gravité de la chose. Marie a été frappée par une balle en pleine tête. Une tumeur venue de nulle part, un *sniper* dans la nuit, un glioblastome, un cancer du cerveau. Elle reçoit le coup un soir de février, dans une ruelle où je stationne la voiture, alors que nous allons souper chez des amis. Au moment d'ouvrir les portières, je dis quelque chose à Marie. Elle ne répond pas. Je l'interpelle encore, silence total. Alors, je la regarde, elle est figée sur le siège du passager, son téléphone dans la main, la tête penchée vers l'arrière, la bouche légèrement ouverte. Elle fait une crise d'épilepsie. Je ne peux pas le savoir, puisque cela ne lui est jamais arrivé. Dans l'ignorance de ce qui est en train de se passer, je panique, je hurle son nom, je la secoue, mais elle ne bouge plus. Nos amis interviennent, les secours arrivent, elle se réveille finalement dans l'ambulance qui la conduit à l'hôpital. Une fois aux urgences, en état de choc, je sais déjà qu'un grand malheur nous tombe dessus. Les médecins nous annoncent rapidement la nouvelle : cancer du cerveau nécessitant une opération immédiate. Il semble que cette opération a été bien réussie, la chirurgienne oncologue souriait de satisfaction, elle avait enlevé une bonne partie de la tumeur, disait-elle. Enlevé et bien enlevé. Marie a repris connaissance avec ses pleines capacités cognitives, nous étions rassurés. Mais on nous a informés que son espérance de vie était de seize mois. Nous nous en doutions, mais les mots étaient trop durs.

Nous avons absorbé le coup, la petite famille. Marie a récupéré, elle est sortie de l'hôpital, radiothérapie, chimiothérapie, sa belle tête rasée, ma Marie chauve, comme pour montrer encore plus le mal inscrit dans son cerveau. Elle a ri, elle a pleuré, elle a espéré, replongeant dans ses tâches et ses missions, l'écriture, l'intendance, les projets. Nous nous sommes tenus loin des idées noires. Nous faisions comme s'il était possible de se faufiler, d'échapper au destin, en faisant le moins de bruit possible. Je connaissais cette réaction, je l'avais déjà vécue. Se cacher du destin est une tentative inutile.

Oui, nous avons gardé notre calme pendant plus d'une année. Nous vivions dans le moment présent, chaque jour, chaque heure. Durant ce bel intermède, nous nous sommes

tant aimés, de caresses et de regards, de mots et de mur-
mures, nous avons été ensemble le plus que nous avons pu.
Elle avait une manière de se lover dans mes bras, la nuit, un
geste qui disait : « Je suis là où je dois être, où je veux être, où
je serai toujours, s'il te plaît mon amour, sauve-moi de cet
enfer et, de tes mains magiques, guéris-moi ! » Mais quand
une bombe explose, elle fait des dommages à l'aveugle, causant l'irréparable. Marie était touchée mortellement, comment pouvais-je la sauver ? Et cette mort s'est installée en ne
respectant rien. Allez donc lui dire, à la mort, de regarder
ailleurs, de laisser mon amour tranquille, de ne pas toucher
à l'Intouchable. Mes mains magiques, mon cœur de lion,
mon amour, rien n'y fit. Le mot *impuissance* refit surface,
cette impuissance qui aura tant fait partie de ma vie.

Je vois encore Marie avec ses cheveux qui repoussaient,
sa petite tête ébouriffée, ma main qui lui caressait le crâne,
et Lou qui a fini par admettre que cela lui faisait bien, à sa
mère, cette coiffure du cancer. Dernier voyage : Marie à Vancouver puis dans les Rocheuses avec sa fille, et les deux qui
prennent des clichés de camions, juste pour moi, juste pour
me faire plaisir, moi qui suis resté derrière, à Montréal.
Nulle part, jamais, en aucun cas elle ne m'oublie, elle sait
toujours où j'en suis, elle a le cœur soudé à mon âme. La
nuit, dans le lit, « nous faisions l'humour », ma belle Marie
et moi, elle avait toujours le tour de me réjouir, de me désar-
çonner. La femme de lettres était aussi une femme très
drôle. Toutes les nuits étaient les nuits du Grand Rire.

Marie la poète, pour qui une phrase était une phrase, et
qui passait des heures à en écrire juste une. Marie la lectrice,
qui saisissait d'un coup d'œil les imperfections, les faiblesses
et les dérives d'un texte mal luné. Marie l'éditrice, qui a
conçu et réalisé les très beaux *Bestiaire,* me mettant sur la
piste, suivant mon écriture, texte après texte, pour finalement « manufacturer » ces deux livres étonnants de beauté.

Marie l'écrivaine, qui a rédigé avec moi, leur donnant une profondeur littéraire, les textes de *Elles ont fait l'Amérique* et de *Ils ont couru l'Amérique*, l'écrivaine encore, et la remarquable recherchiste, qui a signé avec moi *Le Peuple rieur.* C'est elle qui a choisi la belle couverture de *L'Œuvre du Grand Lièvre filou*, l'image du camion Mack sur *Les Yeux tristes de mon camion* et celle de *L'Allume-cigarette de la Chrysler noire.* Marie était partout, aux images, aux recherches, aux textes et aux projets. Marie qui était mûre pour créer, écrire, faire son livre en propre, comme elle l'avait toujours pensé : sa poésie, son roman, son paragraphe parfait. Ma Marie de ses derniers écrits, quelques bribes et quelques morceaux de l'histoire de sa vie, le début d'un manuscrit. D'abord, les mauvais souvenirs, traces d'une innocence perdue, blessures au cœur et à la tête, lors d'un voyage initiatique en Europe. *Imprudence* et *innocence,* voilà deux mots qui vont bien ensemble. Puis, dans un autre texte, elle parle de sa fille, elle explore le mystère de son amour pour elle. *Il est impossible que Lou ne soit pas,* n'est-ce pas, Marie ?

Et finalement, Marie ma femme, Marie la mère, l'intendante, l'amoureuse, qui s'occupait des moindres détails de l'ordinaire, de sa fille, de son homme et du monde autour d'elle. Pour Lou, elle veillait à tout, au grain comme au destin. Elle l'a préparée pour qu'elle lui survive. Marie sur sa terrasse, regardant la rivière des Prairies, buvant son verre de chablis, trouvant tout beau, le soleil, les oiseaux, les outardes dans l'eau. Elle se souvient de ses lapins, elle aime tant les petits lapins. Marie de tous les matins, son café à la main, m'entretenant de sa journée, de ses idées. Puis elle rit de ce que je lui raconte, elle a le plus beau rire du monde. La plus belle voix du monde. Nous menions grand train, finalement, sorte de pied de nez au glioblastome. Elle travaillait sur un dossier qui la fascinait, une histoire du castor pour la série radiophonique *Récit*. Mais cette recherche, elle n'aura pas pu la finir. Après l'intervalle de seize mois, une douleur terrible s'est manifestée, une douleur soudaine au dos.

Nous l'avons su par un cri, cela s'appelle un « cri de mort ». Cette douleur s'est installée à demeure, la souffrance est devenue insupportable, le mot *tourment* me vient à l'esprit. Marie clouée au lit, dans notre chambre, pendant deux bonnes semaines. La mort nous rappelait à son souvenir. Elle était là. Contre les évidences, nous l'avons encore une fois ignorée, croyant plutôt à une sciatique, à une scoliose ou, pire, à une sténose. Nous ne voulions pas entendre la vérité. C'était l'offensive du cancer, des métastases dans les alentours de la colonne vertébrale, quelque part dans le bas du dos. Marie ne s'est pas relevée de cette dernière attaque. La descente aux enfers a été rapide. Il a fallu qu'elle quitte la maison en ambulance. Deux longues semaines à l'hôpital, seule, absolument seule. En raison de la pandémie, nous ne pouvions pas lui rendre visite. Le vent mauvais avait trouvé une façon d'être plus mauvais encore.

La veille de la Saint-Jean-Baptiste, l'infirmier en chef me téléphona pour me dire que les médecins arrêtaient les traitements. Il ajouta qu'en raison de la condition de Marie, j'avais le droit désormais de lui rendre visite : une visite de compassion. J'étais le seul autorisé à pénétrer dans l'hôpital, au quatorzième Nord du CHUM, ce qui laissait notre pauvre Lou sur la touche. Lorsque je suis entré dans la chambre, après des jours d'une séparation cruelle et d'une inquiétude sans nom, elle m'a à peine reconnu, brisée qu'elle était par les souffrances continues, assommée par les médicaments. Le mal était fait. Je ne pouvais plus lui parler normalement, lui dire ce que j'aurais voulu lui dire, lui poser des questions ultimes, échanger sur notre malheur. En réalité, elle ne me reconnaissait plus. Son cerveau l'abandonnait, une chute d'une grande cruauté.

Cette journée du 24 juin marquait le vingt-troisième anniversaire de notre première rencontre dans un restaurant de Montréal. Chaque année, nous en faisions une grosse affaire. Mais là, elle ne pouvait pas le réaliser, elle ne pouvait plus s'attendrir à l'idée de notre amour. Dans sa confusion, elle voulait parler à sa mère, elle parlait aussi de Lou. Ses grandes images, ses grands soucis, ses grandes espérances. Oui, sa mère, sa fille, les deux bouts de la lignée. Marie voulait bien parler, mais elle souffrait trop, elle avait mal aux jambes, au bas du dos, au ventre. Les médicaments ne contrôlaient pas vraiment la douleur vive qui l'habitait. J'ai pensé aux mots *pitié* et *scandale*. Voilà l'absurde dans toute son absurdité, aurait dit Camus. Il a fallu que nous acceptions l'inacceptable, que nous pensions l'impensable. Et voilà que je suis en train de dire l'indicible. Marie couchée, blessée mortellement, souffrant tellement qu'on ne pouvait même plus la toucher.

Les autorités médicales nous ont recommandé d'envoyer Marie dans une maison de soins palliatifs pour cancéreux en fin de vie. Nous, on voulait qu'elle revienne à la maison. Mais l'hôpital ne voyait pas ce projet d'un bon œil. On nous disait que nous ne pouvions pas improviser un système de soins de fin de vie, la chose était compliquée et dangereuse, il fallait l'appui du CLSC, un lit d'hôpital, des infirmières, des préposés, etc. Contre ces avis et sur les conseils des amies de Marie qui souhaitaient s'occuper d'elle, j'ai décidé que Marie devait revenir à la maison. Elle, Lou et moi comptions sur deux anges gardiens, comme dans les films d'amour. Une amie d'enfance, médecin de son état et notre voisine de palier, s'engageait à prendre soin de Marie à temps plein. Une autre amie des cercles littéraires, poétiques et artistiques de Marie a fait de même. Elles ont organisé l'appartement, ont fait toutes les démarches, se sont occupées des détails. À la fin, tout était parfait.

Premier juillet. Marie revient chez nous, en ambulance, comme elle était partie. Elle paraît fragile, toute menue. Complètement perdue dans ses images. Elle n'est plus capable de tenir une conversation normale, sa mémoire se brouille. Mais on voit dans ses yeux le bonheur d'être rentrée chez elle. Plusieurs mois auparavant, alors que nous discutions sur l'oreiller, Marie m'avait fait jurer de la garder à la maison jusqu'à la fin. « Je veux mourir avec toi et Lou à mes côtés, en regardant la rivière... » Voilà une promesse en voie d'être tenue. Elle regarde la rivière, les trembles et les érables, peut-être entend-elle les outardes, elle nous voit aller et venir autour d'elle, elle sursaute à nos bruits, à la voix de Lou surtout, le bruit de Lou. Elle réagit aussi aux voix de ses deux amies, dont elle reçoit les soins délicats et rassurants. Deux femmes penchées sur une autre, l'exemple même de l'accompagnement, l'image réelle des soignantes. Il faut croire que les mots *confort* et *réconfort* ont un sens. Marie sourit parfois, ses amies la consolent, la lavent, elles vont au-devant de ses douleurs, elles se relaient pour dormir à ses côtés, elles s'épuisent sans songer une seconde à leur fatigue, elles sont sur le front des soins. Et Marie de demander : « Suis-je déjà morte ? »

Nous pouvons voir Marie toutes les heures du jour, lui prendre la main, l'embrasser, entendre ce qui reste de ses mots d'esprit, même si cet esprit est perdu. Je la regarde tendrement et elle me dit : « Tu as les plus beaux yeux bleus du monde, à l'ouest du Paris Pâté ! » Ou était-ce « au sud des May West » ? Cela est si beau de pouvoir lui dire « bonjour, mon amour », cela est si triste de la regarder dans cet état, inerte, sachant qu'elle va mourir. Nous avons tous de la peine, nous sommes tous au mur de nos lamentations. La visite défile, nos plus proches amis. La famille vient à son chevet, ses frères, et sa sœur surtout, de qui elle s'était tant rapprochée ces dernières années. Ils viennent pour leur

« petite sœur », car elle est la plus jeune. On voit dans les yeux de chacun le trouble et la douleur. L'étonnement triste. Je pense au mot *hélas*.

Le jeudi 16 juillet 2020, dix heures cinquante-cinq, Marie meurt. Le *sniper* peut ranger son fusil longue portée. Son travail est fait. Il peut maintenant aller ailleurs, viser la tête d'une autre victime innocente.

Note de l'éditeur

Ce livre est un peu la suite de L'Allume-cigarette de la Chrysler noire, *publié en 2019 chez le même éditeur et dans la même collection. Il rassemble un nouveau choix de quelque soixante-dix essais brefs de Serge Bouchard, écrits pour être lus par l'auteur lui-même à l'émission radiophonique* C'est fou…, *qu'il anime depuis plusieurs années avec Jean-Philippe Pleau sur les ondes de Radio-Canada. Tous ces textes ont été retouchés en vue de leur présente publication. Le dernier, intitulé « Un* sniper *dans la nuit », est inédit.*

Table des matières

CRÉDITS ET REMERCIEMENTS

Les Éditions du Boréal remercient le Conseil des arts du Canada
ainsi que le gouvernement du Canada pour leur soutien financier.
Canada

Les Éditions du Boréal sont inscrites au Programme d'aide
aux entreprises du livre et de l'édition spécialisée de la SODEC
et bénéficient du Programme de crédit d'impôt pour l'édition
de livres du gouvernement du Québec.
Québec

Photographie de la couverture : Tous droits réservés

Imprimé sur du papier Rolland Enviro
100 % postconsommation, fabriqué avec un procédé sans chlore
et à partir d'énergie biogaz, certifié FSC, Rainforest Alliance
et Garant des forêts intactes.

MISE EN PAGES ET TYPOGRAPHIE :
LES ÉDITIONS DU BORÉAL

CE CINQUIÈME TIRAGE A ÉTÉ ACHEVÉ D'IMPRIMER EN MAI 2021
SUR LES PRESSES DE L'IMPRIMERIE HLN
À SHERBROOKE (QUÉBEC).